THE CURE

A PERFECT DREAM

UNA INCREÍBLE FÁBULA POP

BLUME

Ian Gittins

Título original *The Cure. A Perfect Dream*

Diseño Becky Clarke
Traducción Rosa Cano Camarasa
Revisión de la edición en lengua española Llorenç Esteve de Udaeta
Historiador de Arte
Coordinación de la edición en lengua española
Cristina Rodríguez Fischer

Primera edición en lengua española 2018

Editado por BLUME
Carrer de les Alberes, 52, 2.°
Vallvidrera, 08017 Barcelona
Tel. 93 205 40 00
e-mail: info@blume.net

ISBN: 978-84-17492-22-9

Impreso en China

WWW.BLUME.NET

Este libro se ha impreso sobre papel manufacturado con materia prima procedente de bosques de gestión responsable. En la producción de nuestros libros procuramos, con el máximo empeño, cumplir con los requisitos medioambientales que promueven la conservación y el uso responsable de los bosques, en especial de los bosques primarios. Asimismo, en nuestra preocupación por el planeta, intentamos emplear al máximo materiales reciclados y solicitamos a nuestros proveedores que usen materiales de manufactura cuya fabricación esté libre de cloro elemental (ECF) o de metales pesados, entre otros.

PÁGINA 1 - Robert Smith, líder de The Cure, actúa en el escenario principal, la tercera jornada del Bestival en Robert Hill Country Park, el 10 de Septiembre de 2011 en Newport (Reino Unido).
PÁGINA 2 - Robert Smith, 1992.
DERECHA - The Cure, retrato del grupo en Brasil en marzo de 1987, de izquierda a derecha: Simon Gallup, Robert Smith, Boris Williams, Lol Tolhurst, Porl Thompson.
PÁGINA 6 - Robert Smith, retrato de estudio.

CONTENIDO

INTRODUCCIÓN

En 2018, The Cure celebraron el cuarenta aniversario del lanzamiento de su primer *single*, el gnómico e intenso «Killing An Arab» y lo hicieron con lo que podría considerarse, dada la suave indolencia de sus últimos años, un verdadero torbellino de actividad.

Primero anunciaron que encabezarían el cartel del British Summertime Festival en Hyde Park en Londres el 7 de julio. Siguiendo a estrellas como The Rolling Stones, The Who y Stevie Wonder, han sido unos totémicos cabezas de cartel que han estado a la altura de este festival al aire libre británico que se celebra todos los años.

El cantante Robert Smith, que suele llevar una vida recluida, a continuación dejó saber que un mes antes del festival, organizaría la vigésima quinta edición del prestigioso festival Meltdown que se celebraba en el South Bank londinense. Durante las siguientes semanas anunció una impresionante lista de invitados, algunos de los cuales tienen una gran deuda musical con The Cure: Nine Inch Nails, Mogwai, Placebo, My Bloody Valentine...

Un paso sorprendente y típicamente heterodoxo, pero The Cure siempre ha sido una banda tremendamente idiosincrásica.

Formado en 1976 en los aburridos condados de las afueras de Londres como parte de la era de la música experimental *new wave* que siguió a la explosión punk, este grupo de díscolos individualistas se inspiraba no solo en la música sino también en la literatura; debía tanto a Albert Camus como a los Buzzcocks.

Perpetuos extraños, a veces parecían no creer en su propia existencia: por algo su primer álbum se tituló *Three Imaginary Boys* (*Tres chicos imaginarios*).

Durante cuatro décadas han compuesto quebradizas sinfonías llenas de texturas, muchas veces cargadas de un lirismo provocador. Desde el comienzo, fueron unos músicos soñadores, ambiguos, audaces, pero entonces pocos detalles indicaban que llegarían a ser algo más que un grupo de culto.

En esa extraña primera época, la banda se concentró en paisajes musicales introspectivos, melancólicos y en unas letras agresivas que atrajeron a los adolescentes angustiados de todo el mundo. Su característico aire de melancolía taciturna combinado con la interesante imagen pálida de Smith y sus ojos pintados con sombra oscura hicieron que fuesen considerados como la piedra angular de la muy difamada escena increíblemente insular del *rock* gótico inglés.

The Cure parecía una clásica banda de culto. Sin embargo, empezaron a suceder cosas extrañas. Tuvieron pequeños éxitos con canciones crípticas, enigmáticas y antipop, como «A Forest» de 1980; su cuarto álbum en cuatro años, el intenso lamento existencial que fue *Pornography* de 1982, llegó a estar en el Top 10 de las listas. De repente, The Cure se convirtió en la razón de ser de una generación de adolescentes marginados, muchos de los cuales imitaron la impactante imagen de Smith con los ojos maquillados con sombra oscura y cargados de rímel y los labios mal pintados con carmín rojo.

Nunca pensaron que pudiesen llegar más allá de un pequeño sector demográfico devoto, leal y obstinado... hasta que llegaron.

The Cure nunca han odiado nada con más fuerza que el encasillamiento y en 1983, se deshicieron de su característico sombrío ensueño para revelar una sutil ligereza y una valiosa sensibilidad pop antes insospechadas. En un momento en el que el grupo estaba distanciado y de capa caída debido al alcohol y a las drogas y que su existencia era solo de nombre, Robert Smith soñó una serie de fantasías pop que revelaron un aspecto completamente nuevo de la banda.

Singles como «The Love Cats», «Inbetween Days« y «Close To Me» redefinieron a estos miserabilistas marginales como genuinos alqui-

SUPERIOR - Lol Tolhurst (derecha) y Robert Smith (izquierda) miembros de The Cure, posan juntos en Londres, en enero de 1983.
PÁGINA SIGUIENTE - Robert Smith en el Charlotte Street Hotel, en Londres, el 1 de octubre de 2004.

mistas del pop, proveedores de espejismos brillantes y perfectos. Su asociación con el cineasta y realizador de vídeos Tim Pope aseguró que esos alegres ensayos de sonido saltasen a las pantallas de MTV convertidos en alucinaciones vívidas. Sorprendentemente, cuando The Cure lanzó en 1985 el álbum vertiginoso y delirante *The Head On The Door*, se abrió la puerta del mercado estadounidense.

Y siguieron abiertas, pues The Cure sedujeron a adolescentes marginados de ambas costas y de todo el Medio Oeste con discos como el sombrío y fúnebre *Disintigration* de 1989, y a la vez también fueron capaces de atraer a los fans del pop *mainstream* de la radio AM con soñadoras, delirantes y triviales canciones pop como «Why Can´t I Be You?», «Just Like Heaven« y «Friday I´m In Love«.

A principios de la década de 1990, los melódicos inadaptados de Robert Smith ya se habían graduado en los escenarios estadounidenses y pasaron a tocar en grandes estadios que eran normalmente terreno de músicos como The Rolling Stones, Bruce Springsteen y Bon Jovi; su LP *Wish*, de 1992, llegó a ser número dos en las listas estadounidenses y número uno en las del Reino Unido.

Para una banda británica de *art-rock* pospunk deliberadamente difícil y distinta fue una especie de milagro.

La historia de The Cure es una fantástica fábula pop, sin embargo su trayectoria no se ha caracterizado por un éxito ininterrumpido. A lo largo del camino su irregular y agitada odisea pop se ha encontrado con fuertes tensiones y disputas entre los miembros de la banda, numerosos cambios en su formación, alcoholismo, drogadicción e incontables oscuras noches del alma, muchas de las cuales han sido traducidas a exquisitas sinfonías de *rock-noir*.

En 1994, el atribulado Lol Tolhurst, uno de los miembros fundadores que fue despedido en 1989, demandó a sus antiguos colegas, en lo que se convertiría en uno de los casos más prominentes y notorios del mundo del *rock* en los tribunales superiores londinenses.

En años posteriores, en la madurez, The Cure por fin ha conseguido un muy necesitado equilibrio que ha compensando la disminución de las ventas de discos en la era de las descargas digitales, convirtiéndose una vez más en una banda de culto, una pequeña empresa, que recorre el mundo cuando al grupo le parece bien llenando estadios y encabezando carteles de festivales para sus todavía devotos discípulos.

Sin sentirse obligados con nadie, la trayectoria de los últimos años, típicamente excéntrica, ha permitido a The Cure mantener su esencia: esa mezcla de alegría y halo de misterio que siempre ha constituido su atractivo.

De torpes adolescentes *art*-punk en Crawley a gnómica y venerable realeza del *rock* con casi treinta millones de discos vendidos, el viaje de The Cure ha sido una increíble y lujosa proeza de la imaginación, una inquieta odisea verdaderamente improbable. Han seguido su propia y singular luz que les ha conducido a la cima del mundo. Este libro cuenta su emocionante historia hasta la fecha.

Ian Gittins

«TODO EL MUNDO ESTÁ CONTRA MÍ»

PÁGINA ANTERIOR - The Cure en una playa.
INFERIOR - ¿Imagen? ¿Qué imagen? La imagen sin ningún estilo de The Cure al principio de su carrera.

La crítica cultural y musical hace mucho que sostiene la idea de que los artistas se forjan gracias a sus entornos. Se trata de una teoría cautivadora: ¿qué mayor motivación pueden tener los jóvenes espíritus creativos que revelarse contra las frustraciones y restricciones de sus situaciones existenciales, de sus vidas cotidianas?

En la música, la aplicación de este teorema puede resultar increíblemente literal. El punk se considera que tuvo su origen en la incipiente ira de los jóvenes británicos desfavorecidos en la década de 1970. Al ruido (pos) industrial de Birmingham y Detroit se le atribuye el haber inspirado el barullo salvaje de Black Sabbath y The Stooges respectivamente.

Por lo tanto, ¿es posible que la música refleje la vida de confort burgués, de exquisito hastío aburguesado, de ligera indolencia de sus creadores? ¿O una vaga e imprecisa sensación de insatisfacción en el fondo de un vida aparentemente privilegiada?

Durante más de cuarenta años, The Cure ha creado música especializada en una angustia impecable y una preciosa y envolvente melancolía. Sin embargo, sus antecedentes personales se enraizaban principalmente en la clásica estabilidad británica de clase media, y en ningún caso tanto como en el del fundador y cantante de la banda Robert Smith.

Robert James Smith nació el 21 de abril de 1959 en Blackpool, una ciudad del nordeste de Inglaterra divinamente hortera y centro vacacional con ínfulas de ser un Las Vegas británico pero que en realidad se parece más a Coney Island, que es más fría.

Robert solo tenía tres años cuando sus padres, Alex y Rita, se trasladaron con toda su familia a 450 kilómetros al sur, a Horley, en Surrey, para que Alex ocupase su puesto como directivo en la empresa Upjohn Pharmaceuticals. Robert nunca regresó a Blackpool, pues dice que los recuerdos que tiene de niño jugando en la playa son tan bonitos que no quiere que la realidad los estropee.

Los Smith pasaron tres años en Horley y después se mudaron a la cercana Crawley, en Sussex, donde Smith pasó el resto de su infancia y adolescencia. Es la ciudad a la que estará siempre asociado, el crisol de The Cure... y sin embargo, tan intrínsecamente corriente, tan prodigiosamente banal.

Quizá esa sea precisamente la cuestión.

Crawley fue construida como «nueva ciudad» (*New Town*) después de la Segunda Guerra Mundial. Ciudad con poco carácter y de arquitectura sencilla, su principal función constituía —y constituye—, enclavada como está en los boyantes condados que rodean Londres, servir como ciudad dormitorio de la capital, a unos cuarenta y ocho kilómetros al norte. En general está considerada una ciudad suburbial tranquila.

La infancia de Smith en este escenario poco atractivo, aunque no fue precisamente bohemia, sí fue segura y liberal. Alex y Rita, fervientes católicos, eran unos padres permisivos que dejaban que el rebelde hermano mayor de Robert, Richard, fumase porros en casa y que animaban a todos sus hijos a leer y a escuchar música, tanto clásica como pop.

Pese a su conocida inclinación a adornar la realidad y a contar divertidas mentiras en las entrevistas, Robert Smith nunca ha dicho que la vida en su familia no fuese segura y llena de cariño. No se puede decir lo mismo de otro de los niños de Crawley a quien conoció su primer día de colegio en septiembre de 1964.

Laurence Andrew «Lol» Tolhurst, nacido el 3 de febrero de 1959 en Horley, tuvo una infancia más disfuncional. Uno entre seis hermanos, siempre ha reconocido que Daphne, su madre, le apoyó y le animó. Su padre, sin embargo, era otra cuestión.

William Tolhurst se habia enrolado en la marina británica de adolescente y tenía tan solo dieciocho años cuando fue destinado al río Yangtsé donde presenció la masacre de Nankín, la infame atrocidad de la segunda guerra chino-japonesa cometida en 1937, cuando los soldados japoneses masacraron a cientos de miles de soldados y civiles chinos. «Vio cabezas decapitadas y otros miembros flotando río abajo«, explicaba Lol en su autobiografía de 2016 *Cured: The Tale of Two Imaginary Boys*. «Evidentemente, regresó de la Segunda Guerra Mundial cambiado. Hizo la única cosa que podría hacer cualquier inglés para borrar los horribles recuerdos: beber».

El alcoholismo de William Tolhurst arruinaría la infancia de sus hijos e hizo que el joven Lol siempre anduviese con pies de plomo. «Mi padre y yo no teníamos nada en común«, comentaba en *Cured*. «Él no me conocía y a mí no me gustaba estar cerca de él... Sinceramente, no tenía la sensación de tener padre».

Robert Smith y Lol Tolhurst se conocieron en septiembre de 1964 cuando sus respectivas madres los pusieron en el autobús del colegio que los llevaría a la escuela infantil St Francis en Crawley. Pero la amistad surgió cuando los dos pasaron a la escuela secundaria: Notre Dame Middle School en Pound Hill, en Crawley.

Notre Dame, cofundada por lord Longford, defensor de la reforma penal, era decididamente un colegio progresista para la época. Los alumnos llamaban a los profesores por su nombre de pila; las clases eran abiertas: en lugar de lecciones supervisadas, se dejaba a menudo que los niños estructurasen sus propias tareas.

"Si eras un poco pillo, podías convencer a los profesores de que eras especial. Yo no hice prácticamente nada durante casi tres años... intentaba conscientemente hacer lo menos posible."

ROBERT SMITH

PÁGINA ANTERIOR - De derecha a izquierda: Lol Tolhurst, Michael Dempsey, Robert Smith.
INFERIOR - Jimi Hendrix en el Isle of Wight Festival en 1970.

Los valores del colegio pretendían fomentar el librepensamiento y la creatividad de los alumnos. Significativamente, Robert Smith tenía una opinión distinta.

«Si eras un poco pillo, podías convencer a los profesores de que eras especial», le contó a Steve Sutherland en la biografía oficial de The Cure en 1988, *Ten Imaginary Years*. «Yo no hice prácticamente nada durante casi tres años... intentaba conscientemente hacer lo menos posible».

La afición de Smith a excluirse, de la convencionalidad, de la sociedad o simplemente de hacer los deberes, se convertiría en una de las características del personaje que estaba surgiendo, y al final, posiblemente, en la pura esencia de The Cure. Si bien sus deberes escolares no le atraían en exceso, empezaba a surgir una pasión: la música.

El joven Smith se había iniciado en la música con The Beatles y The Rolling Stones gracias a la colección de discos de su hermana Margaret, pero enseguida se quedó prendado de Jimi Hendrix. Pensó que le había tocado la lotería cuando en 1970, a la edad de once años, su hermano Richard de veinticuatro años lo llevó a ver a Hendrix al Isle of Wight Festival.

El viaje no fue un éxito —no desde su punto de vista, ya que su hermano Richard ligó con una chica y le ordenó que se metiese en la tienda de campaña y no saliese hasta que él regresase—. Robert no tendría otra oportunidad de ver a su ídolo: menos de tres semanas después Hendrix murió de una sobredosis.

Sin embargo, como sucedió con muchas futuras estrellas del *rock* de su generación, el verdadero momento de revelación llegó el 6 de julio de 1972, cuando David Bowie interpretó «Starman» en *Top of the Pops*.

La Gran Bretaña de principios de los setenta, y especialmente la zona de Smith y de Tolhurst, era un lugar gris, conformista y deprimente. Glamur era algo que tenían las personas de otros lugares. *Androgyny* (androginia) era, en todo caso, una palabra particularmente difícil en la prueba de ortografía del Notre Dame School. Bisexualidad se puede decir que todavía no se había inventado.

De modo que cuando apareció en el consolidado programa de música pop de la BBC un ambiguo Bowie vestido con un mono psicodélico rasgueando una guitarra azul, haciendo un mohín a la cámara y poniendo el brazo de manera insinuante sobre el hombro del guitarrista Mick Ronson, Smith no había visto nunca nada igual.

LISTA DE REPRODUCCIÓN

Eric Clapton
Bernard Jenkins, 1966

John Mayall & The Bluesbreakers
Blues Breakers (conocido como *The Beano Album*),1966

Jimi Hendrix
All Along the Watchtower, 1967

The Beatles
Dear Prudence, 1968

The Doors
Hello, I Love You, 1968

Van Morrison
Madame George, 1968

Nick Drake
Fruit Tree, 1969

John Lennon
Love, 1970

Captain Beefheart
Doctor Dark, 1970

David Bowie
Life on Mars del álbum *Hunky Dory*, 1971

T. Rex
Jeepster, 1971

The Sweet
Wig-Wam Bam, 1972

The Sensational Alex Harvey Band
Hammer Song, 1972

Rory Gallagher
Hands Off del álbum *Blueprint*, 1973

Thin Lizzy
Little Girl in Bloom, 1973

The Rolling Stones
100 Years Ago, 1973

Roxy Music
For Your Pleasure, 1973

Como dijo en una entrevista para *The Guardian* muchos años después, fue un momento decisivo en su vida: «Sentí que Bowie había compuesto ese disco pensando en mí».

Si la mente adolescente de Smith ya había intuido que la vida de adulto tenía que ser algo más que un trabajo de nueve a cinco y las deprimentes limitaciones de Crawley, ahí estaba la prueba vivita y coleando y en tecnicolor: ahí estaba...algo diferente. Otra cosa. A los pocos días compraría *The Rise and Fall of Ziggy Stardust and the Spiders from Mars*, el primer álbum que adquirió en su vida.

También le encantaban los coetáneos de Bowie, los músicos de *glam rock* del Top 40: T. Rex, Roxy Music, The Sweet, aunque sus gustos eran decididamente eclécticos, pues también le gustaban elementos más extravagantes de la colección de discos *beatnik* de su hermano como Alex Harvey, Nick Drake y Captain Beefheart. Afortunadamente, también le entraron ganas de empezar a componer música.

Una de las muchas loables características de Notre Dame Middle School y una de las fundamentales era fomentar que los alumnos se expresasen de forma creativa. Esto incluía permitirles utilizar los instrumentos musicales de la sala de música a la hora de la comida una vez a la semana. Smith encontró un compañero dispuesto a acompañarle.

Michael Dempsey, nacido en la antigua Rodesia (en la actualidad Zimbabue) el 29 de noviembre de 1958, se había trasladado con su familia al Reino Unido tres años después y en ese momento era uno de los mejores amigos de Smith en Notre Dame. Él también había quedado impresionado con la actuación de Bowie en *Top of the Pops*. «Molaba que te gustasen las cosas que más escandalizaban a tus padres», confesaba en *Never Enough*, la biografía que Jeff Apter escribió de The Cure en 2005. Smith y él empezaron a practicar en la sala de música.

PÁGINA ANTERIOR - David Bowie en 1972.
SUPERIOR:
IZQUIERDA - Chris Glen, Alex Harvey y Zal Cleminson sobre el escenario con The Sensational Alex Harvey Band en 1975 en Copenhague (Dinamarca).
DERECHA - Marc Bolan y Mickey Fin de T. Rex posan para una sesión fotográfica en enero de 1972 en Ámsterdam (Países Bajos).
DERECHA - Captain Beefheart, 1974.

Poco después se les unió Tolhurst. Smith y él se habían hecho más amigos en los últimos meses, tras descubrir que los dos pertenecían a la rama británica del club de fans de Jimi Hendrix. Cuando Smith y Dempsey le invitaron a que se uniera a ellos en la sala de música, le entró el pánico, mintió y dijo que sabía tocar la batería.

«Ese día, me fui directo a la biblioteca para consultar el libro de Buddy Rich sobre nociones elementales para tocar el tambor», confesó en *Cured*.

La experiencia musical de Smith tampoco iba mucho más lejos que un puñado de clases de piano en las que muy a su pesar no había demostrado la habilidad natural de Janet, su hermana pequeña. Inspirado de nuevo por Bowie, decidió pasarse a la guitarra.

En la Navidad de 1972, le pidió a sus padres que le regalasen una guitarra Woolworth «Top 20», prácticamente la que utilizaba todo el que quería ser guitarrista en esa época. Richard, siempre tan solícito y a quien para entonces había apodado el «gurú» por su conocimiento musical aparentemente infinito, le enseñó los acordes básicos.

Lol Tolhurst también había empezado a reunir su equipo. Cuando su hermano Roger se fue a vivir a Australia, le preguntó qué le gustaría como regalo de despedida. El futuro baterista que todavía no tocaba el instrumento le pidió un par de baquetas y un manual para aprender a tocar la batería.

Sin embargo, la marcha de Roger trajo consigo un acontecimiento premonitorio en la vida de Lol Tolhurst mucho menos positivo; a Lol,

que entonces tenía trece años, le invitaron a hacer de DJ en la fiesta de despedida de su hermano y allí le ofrecieron su primera copa: vino tinto.

«Fue una sensación sutil pero al mismo tiempo definida, misteriosa y malévola a partes iguales», recordaría en *Cured* cuarenta años después. «Mala, pero con algo bueno. Me sentí de maravilla».

Para cuando la fiesta de Roger terminó, Lol se había caído en un agujero en la calle, había vomitado en el lavabo, había rodado cabeza abajo por unas escaleras y había conseguido la primera resaca de su vida. Pero al menos tenía las baquetas.

A la hora de la comida una vez a la semana, Smith y Dempsey practicaban notas y acordes en un par de guitarras del colegio mientras Tolhurst golpeaba vacilante la vieja batería. Pero no se podían quedar para siempre en la sala de música y todavía menos porque había llegado el momento de cambiar de colegio.

St Wilfrid´s Comprehensive School era una institución mucho más tradicional y reaccionaria que la progre Notre Dame, y contemplaba conceptos burgueses tan horribles como planes de estudios, disciplina y uniformes. Smith la describió como «fascista», aunque probablemente solo fuese un cambio radical comparado con el sistema liberal de Notre Dame.

A medida que avanzaba en la adolescencia y añadía el típico complejo de superioridad de adolescente a su amable cinismo y a su hastío, Smith enseguida encontró en St Wilfrid la manera de seguir su

IZQUIERDA - Lo punk llegó a Crawley a finales de la década de 1970.
INFERIOR - Haciendo tonterías, 1978.

> Es normal como adolescente que te guste la idea de ser una víctima. El mundo entero está contra mí, nadie me entiende.
>
> ROBERT SMITH

carrera académica de hacer lo menos posible. Sin embargo, fue en ese colegio donde tocó en vivo por primera vez.

Smith, Dempsey y Tolhurst habían formado una «banda» llamada, sin razón aparente, The Obelisk. Junto a dos compañeros más, Alan Hill y Marc Ceccagno, este último el único alumno negro del colegio, tocaron una canción en una de las reuniones matutinas de abril de 1973.

Smith describió la experiencia como horrible. Tolhurst dijo que fue una pesadilla. Los dos han fingido no recordar qué canción tocaron. The Obelisk volvió a reinventarse —o más bien a trabajar a tiempo completo de ser inquietos adolescentes británicos—.

Descubrieron a las chicas. Tolhurst empezó a salir con Sarah, una chica que había conocido en una discoteca de la zona. Después de unas semanas, perdió su virginidad con ella en un fortín abandonado de la Segunda Guerra Mundial —una cita que años después celebraría en una canción de The Cure—.

El primer encuentro romántico de Smith acabaría siendo muy duradero. Mary Poole y él eran amigos desde Notre Dame, pero se enrollarían en una fiesta de disfraces en la que, según cuenta la leyenda, Smith iba disfrazado de cirujano con la bata manchada de kétchup para que pareciese sangre.

Smith y Poole empezaron a salir juntos. Cuarenta años después siguen juntos y casados desde hace mucho tiempo lo que convierte a Smith en la única estrella existente del *rock* que haya sido eternamente leal a su primer amor. No se puede decir lo mismo de los miembros de Mötley Crüe.

La adolescencia entre los quince y diecisiete años probablemente sea la época más intensa, visceral, estimulante y horrenda de la vida de cualquier persona. Se trata de un período marcado tanto por una arrogancia precoz como por una terrible inseguridad: los pensamientos, las pasiones y los instintos cambian constantemente.

La relación de Smith con su familia siempre ha sido una relación estable, pero ha confesado que a los catorce y quince años se sentía más listo que nadie y consideraba que sabía más que sus profesores. ¿Dónde dejaba esto a sus compañeros de clase? Estaba claro que tenía que diferenciarse de ellos.

Robert Smith, Lol Tolhurst y Michael Dempsey empezaron a emborracharse en secreto con el alcohol casero que elaboraba el padre de Smith, a rondar por los bailes organizados por la iglesia metodista de Horley —incluidas las pausas, nada deseadas, para rezar a mitad de la velada— e incluso ocasionalmente a entrar a escondidas en los pubs de Crawley y a vestirse de una manera que esperaban les diferenciase del resto.

El uniforme preferido del quinceañero Smith para salir por la noche en Sussex era un abrigo largo de pieles acompañado de un pañuelo largo. Tolhurst se aficionó a los pantalones acampanados blancos. Dempsey se convirtió en el orgulloso propietario de una motocicleta italiana de 50 cc con la que se paseaban por la ciudad.

Más que nada, el trío era dado a declarar —Smith de forma especialmente vehemente— que nunca se dedicarían a un «trabajo normal» o vivirían solo para trabajar. La idea de ir todos los días a Londres a un trabajo anodino les horrorizaba. «Robert en particular estaba totalmente en contra de cualquier cosa que lo pusiese en la vía de una vida aburrida», recordaba Tolhurst en *Cured*.

Solo con la sabiduría que llega con la edad se da uno cuenta de que esta sensación de ser especial, de ser fantástico, dolorosamente único es algo típico de la adolescencia.

«Es normal como adolescente que te guste la idea de ser una víctima», confesaría Smith años más tarde. «El mundo entero está contra mí, nadie me entiende».

Pero mientras los adolescentes sensibles con una inteligencia por encima de la media en todo el mundo sufren la exquisita agonía de la angustia típica de esa edad, muy pocos acaban fundando una carrera de superestrella basada en ella...

La actitud malhumorada y agresiva y el espíritu de contradicción de Smith le llevó a ser expulsado de St Wilfrid un tiempo por ser una «mala influencia». Le volvieron a admitir y salió de su letargo para aprobar nueve asignaturas de la secundaria.

Sin tener idea de lo que quería hacer, pero con una alergia crónica a un trabajo «normal», se quedó en el colegio para continuar con el bachillerato, igual que Dempsey. Tolhurst dejó el colegio a los dieciséis y se incorporó a Hellerman Deutsch, para formarse como químico, lo que suponía estudiar en Crawley College.

Smith, Dempsey, Tolhurst y Ceccagno habían seguido perseverando con The Obelisk. Tolhurst incluso invirtió en una batería de cuatro piezas «con un feo acabado brillante marrón-dorado» y el cuarteto improvisaba en la parroquia de St. Edward (Tolhurst enseguida reemplazó a un baterista que le hacía la competencia y se llamaba Graham).

El estilo de Tolhurst con la batería no gustaba a Ceccagno, un amante del *jazz*, que dejó el inexperto grupo. Enseguida formó Amulet, su propia banda de *rock* más progresivo.

Los padres de Smith habían construido un anexo en su casa que pensaban utilizar como una salita más, pero no se opusieron a que el grupo ensayase allí tres noches a la semana. No obstante, la escena musical de 1975 no ofrecía a The Obelisk mucha inspiración.

Aparte de Bowie, los héroes del *glam-rock* de Smith y de Tolhurst como T. Rex, Roxy Music y The Sweet parecían en decadencia. Los Top 40 eran *dance music* —fantástica, pero no su pasión— o un batiburrillo de música sin gracia.

PÁGINA ANTERIOR - «Wig-Wam Bam» The Sweet, 1972
DERECHA - Roxy Music en la década de 1970.

Recuerdo que pensé: «Por aquí hay que ir». Había que elegir: o te dejaban atrás o abrazabas el nuevo movimiento.

ROBERT SMITH

La escena musical británica parecía floja y estancada, aunque estaba a punto de cambiar.

Según cuenta Robert Smith, cuando escuchó «Anarchy in the UK» de los Sex Pistols, en una fiesta en 1976, fue un momento de profunda revelación parecido al de Bowie interpretando «Starman».

«Recuerdo que pensé: "Por aquí hay que ir"», recordaba años después. «Había que elegir: o te dejaban atrás o abrazabas el nuevo movimiento».

Según Lol Tolhurst «Smith y él fueron los primerísimos punks de Crawley», pero parece que esta afirmación es un poco exagerada. No cambiaron sus pantalones de campana y sus abrigos de pieles por imperdibles y cadenas y los comentarios sobre la sociedad y la protesta en la música nunca ha sido lo suyo. A pesar de ello, les atrajo la independencia y la ética *Do It Yourself* del movimiento punk.

«Nosotros pensábamos que había que ser muy, muy bueno (para estar en un grupo) y parecía que eso no estaba a nuestro alcance», admitiría Tolhurst años más tarde. «Pero entonces empezó todo el movimiento punk y pensamos: "Eh, nosotros podemos hacer esto"».

Smith, Tolhurst y Dempsey fueron a ver tocar a The Stranglers en Croydon, en las afueras de Londres y después en Crawley. Sin em-

LISTA DE REPRODUCCIÓN

Sex Pistols
Anarchy in the UK, 1976

The Stranglers
Hanging Around, 1977

Elvis Costello
Less Than Zero, 1977

The Clash
Remote Control, 1977

Buzzcocks
Fiction Romance, 1978

XTC
Statue of Liberty, 1978

Throbbing Gristle
United/Zyklon B Zombie, 1978

Cabaret Voltaire
Here She Comes Now, 1978

Siouxsie and The Banshees
Hong Kong Garden, 1978

Wire
Outdoor Miner, 1978

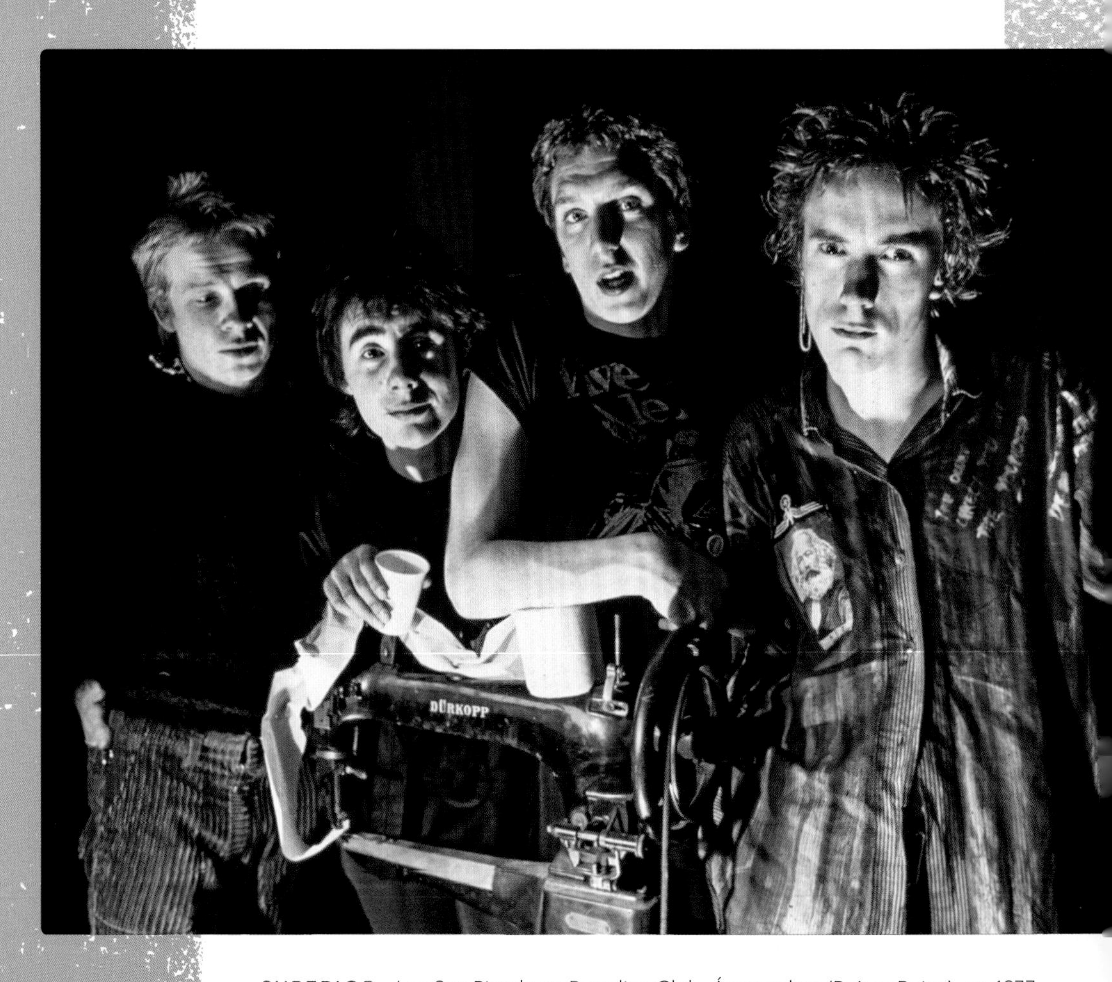

SUPERIOR - Los Sex Pistols en Paradiso Club, Ámsterdam (Países Bajos), en 1977.
PÁGINA SIGUIENTE - El póster de un concierto encabezado por los Sex Pistols.

ANARCHY
IN THE U.K.
PUNK
special
100 CLUB
100 OXFORD ST.
Monday SEPTEMBER 20
SEX PISTOLS
CLASH
SUB WAY SECT
SUZIE AND THE BANSHEES
AND FROM FRANCE
STINKY TOYS
OPEN 7 PM LATE BAR
ADMISSION £1.50
(£1.00 NUS ETC.)
7PM LATE BAR
Sex Pistols

bargo, el grupo punk que más le gustaba a Smith era Buzzcocks: reconoció que intentó trasladar a su banda de una manera o de otra su tenso minimalismo, su enérgica musicalidad y su cinismo lírico.

Ciertamente el punk provocó unos pocos cambios en el estilo y la actitud de los chicos de Crawley. El pelo de Smith siempre le había tocado el cuello de la camisa del uniforme escolar, pero de repente se lo cortó muy corto; en varias ocasiones ha dicho que lo hizo después de escuchar «White Riot» de The Clash que John Peel puso en un programa nocturno de Radio 1 de la BBC.

También había que volver a pensar en el nombre de la banda. Probablemente temiendo que su nombre oliese en exceso al *rock* progresivo que ahora se despreciaba y que no estaba en sintonía con el carácter del brutalismo musical, The Obelisk pasó a llamarse Malice.

Con un nombre más punk, la banda siguió con sus ensayos en la parroquia; mientras el Reino Unido sufría la ola de calor del verano de 1976. Aumentaron en número los miembros de la banda con un nuevo rostro con cierta reputación en el ámbito local.

Paul Stephen Thompson, nacido en Wimbledon el 8 de noviembre de 1957, se había trasladado por un corto período de tiempo a Australia con su familia antes de instalarse en Crawley en el año 1964. No había asistido a los mismos colegios que ellos, pero entró en la órbita del grupo cuando Lol Tolhurst empezó a salir con su hermana Carol.

Thompson, que se hacía llamar Porl, era conocido en Crawley como un buen guitarrista, aunque un poco extravagante, que tocaba en varias bandas locales. Después de que su hermana dejase a Tolhurst, este le invitó a ensayar con Malice. Lo que escuchó le gustó lo bastante como para unirse a sus filas.

Entre las versiones de Jimi Hendrix, Thin Lizzy y The Sensational Alex Harvey Band que tocaba Malice en los ensayos, Robert Smith había empezado tentativamente a componer algunos temas. Se trataba de un territorio desconocido, pero ha confesado que estuvo contento con los resultados: «Muchas de las canciones me parecieron mejor que las que escuchábamos».

Tras casi un año de ensayos, era hora de que Malice abandonase St. Edward Church Hall y debutase con una actuación en directo. Esta primera actuación fue un inicio en falso: tocaron muy discretamente, solo guitarras acústicas y bongos, en la fiesta de Navidad de la empresa del padre de Smith, en la Worth Abbey, un monasterio benedictino de Crawley.

El verdadero debut de Malice, que Lol Tolhurst define como «la primera actuación que hicimos como la banda que se convertiría en

PÁGINA ANTERIOR - Los Buzzcocks en los setenta.
SUPERIOR - The Clash en los setenta.
DERECHA - Fotografía de John Peel (1939-2005), DJ inglés y locutor, realizada en su estudio de Radio 1 de la BBC durante una emisión de su programa de radio en Londres en 1977.

> "Esto es una mierda."
>
> MARTIN CREASY

The Cure», tuvo lugar dos días después, el 20 de diciembre de 1976, en St Wilfrid´s Comprehensive School.

Como ninguno de los miembros de la banda se veía como cantante, reclutaron a un nuevo vocalista justo antes de la actuación, un conocido que se llamaba Martin Creasy. Era uno de los periodistas del periódico local, el *Crawley Observer*, y sorprendió a sus nuevos compañeros de grupo vestido para el concierto con un traje de tres piezas y una bufanda del Manchester United, en marcado contraste con el mono negro con tachuelas de estilo *glam-rock* de Tolhurst.

Probablemente sea acertado rebajar un poco la descripción que Smith da del concierto como «un muro ruidoso de acoples», pues hay que decir que no fue un éxito rotundo: parte del público se marchó.

La primera aparición de Martin Creasy con la banda sería también la última. Tan poco impresionado con sus esfuerzos como el público, dejó el escenario cuando terminaron con una frase que ha entrado en el folclore de The Cure: «Esto es una mierda». La banda se lamió las heridas durante la Navidad.

Viendo que no se habían cubierto de gloria como Malice, un nombre que a Smith nunca le había gustado, decidieron empezar de nuevo. Smith había estado leyendo hacía poco a William Burroughs, le gustó su teoría del *cut-up* en la literatura y la aplicó a la banda.

Tolhurst, Dempsey, Thompson y él escribieron fragmentos de letras en trozos de papel, los estrujaron e hicieron un montón con ellos. El primero que sacasen al azar sería el nombre del grupo.

Smith sacó uno de los trozos de papel del montón. En la letra de Tolhurst estaba escrito «Easy Cure» (cura fácil), una frase de una canción que el baterista estaba componiendo. Pues ese iba a ser el nombre: The Easy Cure.

The Easy Cure tenía un puñado de canciones, montones de versiones, un lugar para ensayar... y después de la mediocre carrera de una sola actuación de Creasy, no tenía vocalista. Tras un experimento todavía más corto con un conocido de nombre Gary X, reclutaron a un amigo de Crawley y fan de David Bowie que tenía un nombre muy cinematográfico, Peter O´Toole.

O´Toole debutó al micrófono cuando el grupo The Easy Cure alquiló el St. Edward's Church Hall para celebrar con un concierto el décimo octavo cumpleaños de Smith. Unas pocas semanas después, la banda consiguió lo que parecía una oportunidad importante.

Con el tiempo, ese optimismo resultó equivocado.

Melody Maker, una revista musical semanal que ya no existe, fue durante décadas el recurso de las bandas para buscar actuaciones, equipos o músicos. Hojeándola una semana de abril de 1977, Smith vio un anuncio interesante.

Dos chicas con poca ropa estaban montadas de manera sugerente sobre una moto. «¿QUIERES SER UNA ESTRELLA DISCOGRÁFICA?», preguntaba el titular. «¡LEVANTA EL CULO! ¡APROVECHA LA OPORTUNIDAD!».

Con bastante más seriedad, el texto del anuncio decía que «Hansa, el sello discográfico de música pop más importante de Alemania responsable del lanzamiento de Boney M y de Donna Summer» estaba realizando audiciones en Gran Bretaña para buscar nuevos talentos. Pedía que «grupos con experiencia de edades comprendidas entre los quince y los treinta años» enviasen una demo y una fotografía.

La invitación a «LEVANTAR EL CULO» y el hecho de que Ariola/Hansa se especializaba en grupos de *dance music* enfocados a entrar en las listas de éxito, probablemente debería haber dado una idea a The Easy Cure de que no era para ellos. Pero, la verdad, ¿qué tenían que perder? Prepararon una demo en el anexo de los Smith y lo enviaron a Hansa.

En la lista de cosas que había que hacer estaba dar algunas actuaciones. Si Crawley contaba con un lugar de moda ese era el pub The Rocket así que The Easy Cure tuvo la suerte de actuar allí cuando el grupo Amulet de Marc Ceccagno se retiró del cartel. Al año siguiente se convertiría en el lugar donde actuarían de forma regular.

A los pocos días de su debut en The Rocket en mayo de 1977, Smith recibió un telegrama de Hansa. Al sello alemán le había gustado su demo (y la foto) y les citaba para una audición en los Morgan Studios en Willesden, en el noroeste de Londres.

> "Pensé que peor no podía ser y así decidí en convertirme en cantante."
>
> ROBERT SMITH

Robert Smith y el resto del grupo se reunieron con el director de A&R (Artists and Repertoire) de Hansa, un estadounidense llamado Steve Rowland, y tocaron tres canciones. Les sorprendió un poco que la discográfica además de grabar la actuación, la filmase, pero a los pocos días recibieron la oferta de un contrato por cinco años y mil libras de adelanto.

La banda tenia serias dudas sobre Hansa desde el principio, pero no tenían ninguna otra oferta y esas mil libras irían muy bien para comprar nuevos equipos. Firmaron e hicieron varias actuaciones más en The Rocket mientras esperaban los nuevos acontecimientos.

El siguiente fue bastante inoportuno. A pesar de haberse acoplado bien a la banda, Peter O´Toole les dijo que dejaba el Reino Unido para irse a Israel a vivir en un kibutz. Siguieron audiciones infructuosas para encontrar un nuevo vocalista, hasta que Robert Smith tomó una decisión crucial.

«Siempre acababa pensando que yo lo haría mejor (que los de las audiciones)», confesaría años más tarde. «Pensé que peor no podía ser y así decidí en convertirme en cantante».

No fue una decisión tomada a la ligera. Smith estaba «paralizado por el miedo» en su debut como cantante en The Rocket. Se había excedido con el alcohol y subió al escenario borracho, dando trompicones, y se equivocó con la letra de la primera canción. No pareció importarle a nadie, o ni siquiera se dieron cuenta.

De modo que ya era el nuevo cantante de The Easy Cure cuando la banda regresó a Londres para su primera sesión de grabación con Hansa. Tocaron cinco canciones nuevas para la discográfica, incluida «Pillbox», el tema que Tolhurst había compuesto sobre la pérdida de la virginidad, pero les pidieron que grabasen versiones de canciones de The Beatles, de Bowie y el éxito de 1966 «The Great Airplane Strike» de Paul Revere and The Raiders.

Hansa hacía poco que había contratado a una banda británica enfocada a las listas de éxitos, un grupo oportunista llamado Child y quería que The Easy Cure siguiese la misma trayectoria musical. Lo que en un principio a los alemanes les había llamado la atención de The Easy Cure fue su imagen de jóvenes atractivos de ojos azules y no sus pretenciosos temas *new wave* de influencia punk.

Robert Smith no estaba dispuesto a aceptarlo. El conflicto estaba servido y su primer objetivo fue componer para Hansa el tema más *new wave* que había escrito hasta el momento.

Cuando estudiaba inglés en St Wilfrid, Smith se había interesado por la novela de Albert Camus *El extranjero* de 1942. Una obra maestra existencialista, que cuenta la historia de Meursault, un hombre que no siente la más básica empatía y que mata a un árabe de un disparo en una reyerta en una playa y no siente remordimiento por el asesinato ni tampoco le preocupa su propio destino.

The Easy Cure había convertido este estudio sobre la morbosa desolación de la condición humana en una serie de ritmos rápidos sobre los que Smith entonaba un solemne estribillo en un tono airado y ligeramente nasal: «Estoy vivo/Estoy muerto/Soy un extranjero/Matar a un árabe».

También le entregaron a Hansa «10:15 Saturday Night» una reflexión escueta e inquietante sobre quedarse solo en casa escuchando cómo gotea el grifo una noche de fin de semana desperdiciada. Esta punzante y austera angustia adolescente estaba en las antípodas de las canciones facilonas y perfectas para la radio de Child.

El 29 de marzo de 1978, Steve Rowland convocó una reunión con el grupo para darles el veredicto de Hansa. Fue tajante: «¡Ni tan siquiera a los presos les gustarían estas canciones!».

Estaba claro que no había modo de seguir adelante. The Easy Cure y Hansa sabiamente estuvieron de acuerdo en reducir las pérdidas y cancelar el contrato. Fue decisivo que Smith les convenciese de que el grupo conservaría los derechos de las canciones. (Resulta interesante que a Hansa le fuese mucho mejor con Japan, una banda

> “¡Ni tan siquiera a los presos les gustarían estas canciones!”

STEVE ROWLAND

DERECHA - Ahora simplemente The Cure, relajados.
PÁGINA SIGUIENTE - Imagen de la primera demo de The Easy Cure, 1977.

formada por coetáneos de The Cure y de estilo similar; después de haberla contratado mediante un proceso parecido, en la misma época, la discográfica lanzó como mínimo tres álbumes de la banda de David Sylvian).

Una vez más sin sello discográfico, The Easy Cure volvió a tocar en The Rocket y en un club llamado Laker´s en la vecina Redhill. Algunos estaban con una banda punk local llamada Lockjaw y Smith empezó a hacerse muy amigo de Simon Gallup, el bajista.

Nacido en Surrey en 1 de junio de 1960, Gallup fue a vivir a Horley cuando era un bebé y ahora trabajaba en una fábrica de plástico local. La inclinación punk de Lockjaw se debía al hecho de que Ric, el hermano mayor de Gallup, trabajaba en una tienda de discos y le ponía los último *singles* para que los escuchase, Smith también iba mucho a esa tienda.

La formación de The Easy Cure volvía a sufrir cambios, Smith estaba cada vez más preocupado por el hecho de que la mayoría de fans que iba a sus actuaciones iba atraída por Porl Thompson, un rostro conocido en el ámbito local y para Smith la forma histriónica que Thompson tenía de tocar la guitarra no cuadraba con la estética desnuda y musicalmente minimalista que quería que persiguiese la banda.

Despedir a Thompson hubiese sido problemático; salía con Janet, la hermana de Smith (con la que acabaría casándose). Sin embargo, Thompson tenía sus reservas sobre la dirección de la banda así que la separación en mayo fue indolora.

Smith entonces encontró otra forma de reducir la banda —nunca le había encantado el nombre que habían escogido al azar— y acortó el nombre a The Cure.

Para entonces ya había dejado el colegio y estaba cobrando el paro, y tras el fracaso del contrato con Hansa, Tolhurst, Dempsey y él pasaban gran parte del tiempo por Crawley lamentándose de su suerte. A Ric Gallup le dio pena y les dejó cincuenta libras para que grabasen una demo profesional.

The Cure fue a Chesnut Studios y grabó una demo de cuatro canciones con «Killing An Arab», «10:15 Saturday Night» y dos canciones nuevas: «Fire In Cairo» y «Boys Don´t Cry». Robert Smith la envió a prácticamente todas las discográficas existentes. Algunas les enviaron cartas rechazándola. La mayoría la ignoraron totalmente. Solo un receptor mostró interés. Se llamaba Chris Parry.

MÁS EXTRAÑO QUE LA FICCIÓN

Nueva Zelanda nunca ha sido un semillero internacional de *rock 'n' roll*. A lo largo de los años, el país del Pacífico ha alimentado una escena musical saludable y discreta, pero con la única valiente excepción de Crowded House, sus músicos no han logrado la fama en el extranjero.

John Christopher «Chris» Parry había intentado rebelarse contra esa tendencia. Solo tenía quince años cuando empezó a tocar la batería en 1964 en una banda llamada Sine Waves. Sintió que había llegado el gran momento cuando el grupo, que había pasado a llamarse Fourmyula, ganó el concurso Battle of the Bands (batalla de las bandas) de Nueva Zelanda, cuyo premio era una estancia de cuatro meses en el Reino Unido.

Fourmyula tocó en varios programas británicos e incluso grabó un *single* en Abbey Road, pero se encontró en el Reino Unido con una aburrida indiferencia. Les fue mejor en su tierra, con una serie de éxitos que entraron en el Top 20 entre ellos «Nature» que fue número uno en diciembre de 1969 y que treinta años después fue votada la mejor canción pop neozelandesa de todos los tiempos.

Pese a todo, el inquieto Chris Parry nunca iba a estar satisfecho con una carrera en el estancado panorama de la industria musical de Nueva Zelanda. Cuando Fourmyula se separó en 1971, se mudó a Londres y consiguió un trabajo en Phonogram Records primero, en el departamento internacional, y después, en 1974, en Polydor, en A&R.

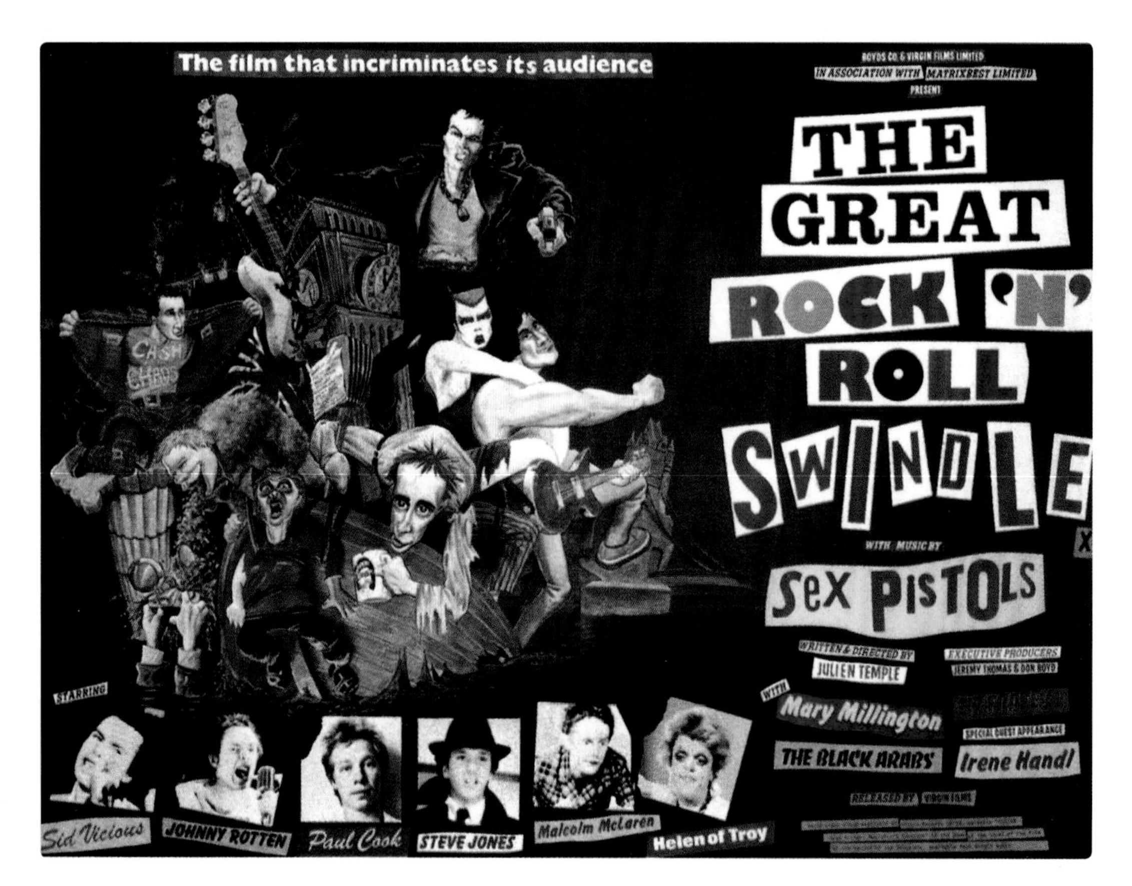

PÁGINA ANTERIOR - The Cure, 1979.
IZQUIERDA - El póster de *The Great Rock 'n' Roll Swindle.*
SUPERIOR - The Jam en San Francisco, en 1977.
PÁGINA SIGUIENTE - Siouxsie Sioux de Siouxsie and The Banshees actuando en directo sobre el escenario en los Países Bajos, en 1978 aproximadamente.

> La idea de un grupo de tres músicos me atraía y el hecho de que ese pequeño casete había llegado del quinto pino y nadie más lo había tocado. Tenía sentimiento, era evocador y me gustó.

CHRIS PARRY

Parry, al ser él también músico, era uno de los mejores cazatalentos de la discográfica, pero no siempre lograba convencer a sus jefes para que compartiesen su entusiasmo. Pese a su admiración por la explosión punk, no logró fichar ni a los Sex Pistols ni a The Clash debido a la reticencia y a las dudas de sus superiores —incluso había interpretado el papel de un ejecutivo de A&R en *The Great Rock 'n' Roll Swindle*, la película de Julien Temple sobre los Pistols—.

Sí que consiguió contratar a The Jam en 1977 y a Siouxsie and The Banshees al año siguiente, pero seguía irritado con la política corporativa y con las restricciones de Polydor —y estaba buscando una vía de escape— cuando en mayo de 1978 se sentó a escuchar una demo que había sido enviada desde Crawley.

A Parry le gustaron las chirriantes y evocadoras reflexiones de The Cure, en particular «10:15 Saturday Night» y «Boys Don´t Cry».

«La idea de un grupo de tres músicos me atraía y también el hecho de que ese pequeño casete había llegado del quinto pino y nadie más lo había tocado», le contó a Steve Sutherland en *Ten Imaginary Years*. «Tenía sentimiento, era evocador y me gustó».

Parry escribió a Smith, hablaron por teléfono y The Cure viajó a Londres para conocer a su admirador en las oficinas de Polydor. Tras una breve charla preliminar, Parry sugirió dejar la reunión e ir a tomar una copa al pub. No le costó convencerlos.

Durante la larga tarde cargada de alcohol, el neozelandés se entusiasmó con el grupo, apreciando su humor y la recelosa inteligencia de Smith. Al trío de Crawley también le cayó bien Parry, aunque no pudieron evitar comentar entre ellos que tenía un cierto parecido al coronel Gaddafi, el dictador libio.

Parry sugirió que la banda organizase una actuación en Londres para que él pudiese verlos en directo, pero Smith puso reparos y en lugar de eso invitó al ejecutivo de la discográfica a verlos en su terreno. Parry aceptó ir a Surrey para verlos actuar en el Laker en Redhill dos semanas más tarde.

Puesto que el directo de The Cure se había pulido con los regulares bolos en The Rocket, la actuación fue un éxito y Parry quedó impresionado. Cuando acabaron de actuar, los llevó a tomar unas pintas a un pub cercano y les hizo una propuesta. Pero no era la que ellos esperaban.

Parry les explicó que estaba cansado de las limitaciones de su puesto de A&R en Polydor y que tenía intención de dejar la empresa y lanzar su propio sello discográfico. La discográfica, que quería llamar Night Nurse, sería independiente pero estaría conectada a Polydor, para poder utilizar su sistema de mercadotecnia y distribución.

Inicialmente, el grupo se quedó desconcertado, pero a medida que Parry se tomaba cervezas y les explicaba su gran visión del futuro, la idea empezó a convencerles. Smith solo tenía una objeción importante: el horrible nombre del sello.

Parry y la banda sugirieron varias alternativas y se inclinaron por 18 Age/Fiction (la primera mitad del nombre se acabaría desechando poco tiempo después). The Cure aceptó un contrato de seis meses —como aceptó también días más tarde una nueva banda *new wave* con mucho talento: The Associates—.

Una vez sellado el acuerdo, Parry les organizó una sesión de grabación barata de toda la noche en Morgan Studios, el escenario de su debacle con Hansa, y allí mejoraron las canciones de la demo y añadieron otras nuevas, incluida «Three Imaginary Boys». También les organizó un par de actuaciones por su zona.

El jefe de Fiction concertó que The Cure actuasen como teloneros de Wire, la austera y minimalista banda experimental de música pospunk venerada por la prensa musical del Reino Unido. Con dos álbumes en su haber, acababa de regresar de su primera gira estadounidense.

Este abismo en experiencia quedó patente cuando The Cure actuaron como teloneros de Wire en la University of Kent, en Canterbury el 5 de octubre. Smith estaba impresionado con Wire y a la vez intimidado por su virtuosismo musical, su presentación y

> «Me parecían un grupo realmente brillante... tenían muchísima fuerza.»
>
> ROBERT SMITH

SUPERIOR - Wire a finales de los setenta.
PÁGINA ANTERIOR - Robert Smith sobre el escenario tocando en directo con una Fender Jazzmaster, el 6 de diciembre de 1979.

su profesionalidad. Años después, diría que verlos le hizo revaluar lo que hacía The Cure: «Me parecían un grupo realmente brillante... tenían muchísima fuerza».

The Cure y Wire en Canterbury fue como si hubiesen competido chicos contra hombres: una experiencia aleccionadora. No obstante, ese concierto fue un gran éxito comparado con lo que les había planeado para la siguiente noche: otro concierto en la City of London Polytechnic, al que The Cure no se presentó.

Fue la típica calamidad de las bandas independientes: se les había estropeado la furgoneta camino del concierto. Llegaron cuando Wire ya había empezado su actuación y se encontraron a un Parry furioso que les reprendió por lo que consideraba una ineptitud total.

Astutamente, la banda convirtió el desastre en una ventaja, pues le dijeron a Parry que este tipo de contratiempos serían menos probables si les pagase un sueldo que permitiese que Tolhurst y Dempsey dejasen los trabajos que hacían durante el día y llegasen a actuar a tiempo. Parry accedió y les pagó 25 libras a la semana.

Con su recién estrenado estatus profesional The Cure trabajaron hasta altas horas de la noche en Morgan Studios grabando los temas que iban a constituir su álbum de debut. Grababan por la noche, para aprovechar el estudio que Parry había pagado para The Jam, que grababa *All Mod Cons*.

Parry producía los dos discos y en el caso de The Cure, ayudado por Mike Hedges, un ingeniero de sonido novato. Su nombre es más conocido en la actualidad y su currículum de producción incluye discos de U2, Dido y Manic Street Preachers.

Una de las ventajas de que The Cure grabase alternándose con The Jam es que podían utilizar sin que la banda de Woking se enterase, sus instrumentos, que eran mucho mejores y más caros. Tolhurst confesaría años más tarde que había roto el micrófono de la batería de Ric Buckler y que había intentado arreglarlo con chicle.

Sin embargo, había tensiones subyacentes en el estudio. Smith era joven e inexperto, pero también tenía determinación y sabía lo que no quería, y eso incluía que Chris Parry, en opinión de Smith, era cada vez más dominante en las sesiones de grabación.

Como músico y productor experimentado y mánager de la banda, Parry tenía una idea muy clara de cómo tenía que sonar The Cure. Esto no siempre estaba en sintonía con el obstinado cantante del grupo, que tenía sus propias y muy marcadas ideas al respecto.

«La banda no sabía lo que estaba pasando», le dijo Mike Hedges a Jeff Apter en *Never Enough*. «Todo era nuevo para todos excepto para Chris. Robert sabía lo qué quería pero no sabía cómo expresarlo».

A Parry le irritaba especialmente la insistencia de Smith de seguir tocando su guitarra para principiantes Woolworth´s Top 20 y

INFERIOR - Tocando en directo en Birmingham, 1979.
PÁGINA SIGUIENTE - El rebelde Billy Idol gritando sobre el escenario con Generation X en el Roxy Club, Londres.

encima con un amplificador viejo y barato. Este último problema al menos se solucionó cuando el amplificador se rompió a mitad de las sesiones de grabación.

Tenían dos personalidades muy distintas, Parry reaccionaba a las discrepancias sobre las cuestiones de grabación con berrinches, mientras que Smith se encerraba en sí mismo enfadado. Todavía afectado por el fiasco de Hansa, el cantante empezó a preguntarse si su mánager realmente estaba en la misma onda que el grupo.

Sin embargo Parry estaba completamente entregado a la banda y la mayoría de discusiones se solucionaban enseguida gracias a la diplomática intervención de Hedges. En cualquier caso, no podían permitirse enfadarse, pues Smith, Tolhurst y Dempsey dormían todas las noches en la cercana casa familiar de Parry, donde los tres músicos tenían que compartir dos camas.

El mánager seguía curtiendo a la banda con actuaciones, asegurándoles un puñado de bolos como teloneros de los UK Subs, supervivientes del duro punk *rock*. Su plan de que se conociese el nombre de The Cure estaba claramente funcionando: en un concierto en el Moonlight Club de Londres un A&R de United Artists intentó robarle la banda a Fiction.

Algo todavía más prometedor fue que Parry envió a The Cure de gira con una banda de punk-pop, asidua de las listas de éxitos del Reino Unido: Generation X, liderada por Billy Idol, con su aire despectivo y su pelo decolorado. Idol salía en las actuaciones vestido con un mono de cuero rojo y en la detestable tradición punk acababa al final de la noche empapado con la saliva de los escupitajos de sus fans. Por suerte, The Cure no tuvo que pasar por eso: «Creo que en el fondo estábamos contentos de que el público hubiese decidido que no nos merecíamos la ducha de saliva», confesó Tolhurst en *Cured*.

Pero una discusión con el *tour manager* de Generation X hizo que The Cure se viesen obligados a utilizar su básico PA (sistema de refuerzo de sonido) en los conciertos, pues se negaron a pagar por utilizar el equipo del grupo cabeza de cartel que era superior. Esto no les impidió ganarse el favor de un aficionado a los conciertos inmensamente influyente.

Su actuación como teloneros en el Croydon Greyhound impresionó a John Walters, el mítico productor del influyente programa radiofónico de John Peel en Radio 1 de la BBC. Walters les contrató para que grabasen una sesión de cuatro temas con Peel: el Santo Grial de todos los aspirantes británicos del *rock* alternativo.

La gira con Generation X parecía que iba a ser un gran éxito... hasta que llegaron a Bristol.

Después de que las cabezas de cartel se instalasen en Locarno, el local donde iban a tocar, Tolhurst, completamente borracho, se fue

"La banda no sabía lo que estaba pasando... Robert sabía lo qué quería pero no sabía cómo expresarlo."

MIKE HEDGES

El EP de *The Peel Session*, 1978.

> **«Estábamos empezando a tener muy buena acogida y eso los estaba poniendo nerviosos.»**
>
> ROBERT SMITH

dando bandazos al lavabo que había en el *backstage* y allí se encontró con Billy Idol en actitud muy cariñosa con una fan a la que acababa de conocer. El intento de Tolhurst de dejarlos solos no salió bien.

«Cuando miré hacia abajo donde yo creía que estaba el urinario, me di cuenta de que en realidad estaba orinando en la pierna de Billy», contaría en *Cured*. «Estaba meando en el "ídolo" (Idol)».

Tolhurst balbuceó una disculpa al cantante de Generation X (y a su nuevo ligue de una noche) y se preguntó si el incidente tendría repercusiones. No obstante, el grupo no pensaba en ello cuando al día siguiente grabaron la sesión para John Peel.

En los famosos estudios Maida Vale de la BBC, el trío tocó «10:15 Saturday Night», «Fire In Cairo», «Boys Don´t Cry» y «Kiling An Arab». Si lo sintieron como un hito, es que lo fue: ávido oyente del programa durante años, Smith sabía lo importante que era para una banda emergente el apoyo de Peel.

Así que The Cure estaban entusiasmados cuando volvieron a unirse a la gira de Generation X la noche siguiente en Dunstable. Al llegar al local de la actuación, el *tour manager* de Generation X les dijo que sería su última actuación gracias a la «estúpida broma» de Tolhurst en el lavabo de Bristol.

En privado, el grupo se preguntó si eso no era sencillamente una excusa y en realidad el problema era que habían eclipsado a Generation X. «Estábamos empezando a tener muy buena acogida y eso los estaba poniendo nerviosos», dijo Smith años después.

Por su parte, Tolhurst comentó su errática meada y la posterior exclusión de la gira con su característica cara de póquer y su tono lacónico: «Cuando has de marcharte, has de marcharte».

En cualquier caso, The Cure tenía suficientes cosas entre manos para no tener que preocuparse por su exclusión de la gira. Tras la sesión con John Peel, consiguieron su primera reseña en la prensa musical británica con una entrevista para *New Musical Express* titulada: «NO HAY *BLUES* PARA LA CURA DEL VERANO».

Un Smith discretamente seguro de sí mismo aprovechó la oportunidad para decirle a Adrian Thrills, el periodista de *New Musical Express*, que en su humilde opinión The Cure eran «mucho mejores» que la mayoría de sus rivales. Cuando Thrills comentó que «Killing An Arab» parecía «a primera vista irresponsablemente racista», el cantante le corrigió: «No es una llamada para matar árabes... el protagonista de la novela [*El extranjero*] mata a un árabe, pero podría haber sido un escandinavo o un inglés».

Durante las siguientes semanas, se acostumbraría a defender «Killing An Arab», pues iba a ser el primer *single* de The Cure. Pero no lo iba a lanzar Fiction. Chris Parry quería que el disco saliese antes de Navidad y que The Cure ganase un poco más de credibilidad, de modo que decidió explorar una ruta alternativa para su lanzamiento.

Parry contactó con Pete y Mary Stennett, un matrimonio que llevaba una tienda de discos y un sello discográfico a la última, que se llamaban Small Wonder, situados en Walthamstow, en el este de

Londres. Estaban especializados en sacar *singles* de prometedoras bandas pospunk y *new wave*; sus lanzamientos más importantes hasta el momento habían sido de Punishment of Luxury y de Leyton Buzzards.

Parry propuso que Small Wonder sacase inicialmente cinco mil copias de «Killing An Arab» para ver la reacción del público. Si el *single* era un éxito, entonces Fiction se encargaría de hacer más copias y tomaría las riendas a partir de ahí. A Pete Stennett le pareció bien:

> «Chris quería que el primer *single* saliese de un pequeño sello independiente. Yo quería poner «10:15 Saturday Night» en la cara A porque me gustaba mucho, pero Chris insistió en «Killing An Arab».
>
> «Conocí a la banda cuando fuimos a Polydor en el Rolls Royce de Chris para firmar el contrato. Me parecieron bastante distantes, pero creo que probablemente era timidez. O quizá el hecho de que eran chicos de clase media y yo del este de Londres. Además, ¡yo tenia veintisiete años! Les debí de parecer un vejestorio».
>
> «No me preocupaba la letra de su canción porque sabía que estaba inspirada en un texto de Albert Camus y que no tenía nada de racista. Sé que después fueron unos cuantos racistas a sus conciertos, pero, ¿qué le vas a hacer? ¡Hay mucho gilipollas suelto en el mundo!».
>
> «El *single* se agotó en un par de semanas, la mitad en pedidos por correo y la otra mitad lo compraron los clientes de la tienda. Fue el *single* que más rápido se vendió de todos los editados por Small Wonder. ¿Me sigue gustando? ¡Sí! Encuentro la voz de Robert un poco quejumbrosa, pero probablemente solo me lo parezca a mí».

Durante un corto período de tiempo «Killing An Arab» hizo que The Cure se ganase un indeseado grupo de seguidores racistas que interpretó literalmente el título de la canción y aparecía en sus conciertos buscando pelea. Después de un par de años, dejaron de tocarla en directo, pues les pareció que se había convertido en una carga, aunque Smith nunca se arrepintió de grabarla.

Las cosas positivas que conseguimos con esa canción compensaban las malas», ha dicho. «Nos ganamos la atención del público rápidamente con una canción que no fue un éxito».

Cuando The Cure volvieron al estudio en enero de 1979 para terminar el álbum que sería *Three Imaginary Boys*, el tira y afloja sobre la dirección del disco se reanudó. Pero como Smith no lograba explicar exactamente a Parry lo que quería, el experimentado mánager y productor continuó con las riendas en sentido metafórico y literal.

Resulta interesante que aunque Smith ha hablado a menudo sobre conflictos al grabar el álbum, Tolhurst y Dempsey lo recuerdan como un proceso básicamente sin problemas. Quizá muchas de las batallas se librasen solo en la mente del cantante.

Puede que Smith no estuviese satisfecho con los esfuerzos del mánager de The Cure en el estudio, pero no podía negar que fuera del estudio estaba utilizando toda su influencia. Con el nuevo año se publicaron varios artículos en la prensa británica sobre la banda, el más importante un reportaje en el semanario *Sounds*.

Las cosas iban deprisa.

En marzo, cuando Parry y Hedges terminaron la producción y la mezcla del álbum, The Cure consiguió un contrato para tocar los domingos por la noche durante cuatro semanas en el londinense Marquee Club. Estaban en compañía ilustre: entre los artistas que habían sido contratados antes se encontraban Jimi Hendrix, The Who, The Rolling Stones y Led Zeppelin.

Como el boca a oreja sobre la banda seguía aumentando, se agotaron las entradas para los cuatro conciertos en el Marquee. La primera noche actuaron como teloneros Joy Division, cuyo cantante, Ian Curtis, se suicidaría un año después. Smith ha admitido no recordar nada de esa actuación.

> “Cuando has de marcharte, has de marcharte.”
>
> LOL TOLHURST

LISTA DE LECTURAS

Killing An Arab
Este tema está inspirado en la novela de Albert Camus *El extranjero*. El libro trata del existencialismo y el título “Killing An Arab” pertenece a una parte de la novela en la que el protagonista reflexiona sobre la vacuidad de la vida después de haber matado a un hombre

> El primer álbum fue como una recopilación. No tenía mucho que ver con lo que estábamos haciendo, ni siquiera en aquel momento.

ROBERT SMITH

Las discusiones entre Smith y Parry continuaron durante el período previo al lanzamiento de *Three Imaginary Boys* cuando el mánager les mostró sus ideas para la portada del álbum. Iba a ser una fotografía de una lámpara, un frigorífico y un aspirador.

Parry llevaba semanas reprendiendo a la banda por su falta de una identidad visual clara y había decidido reflejar este anonimato con una portada adecuadamente anodina. Como admitiría después: «Mi problema con The Cure era que aquí estaba una banda sin una imagen propia pero con una música potente, así que pensé: "presentémosla sin imagen"».

A Smith le horrorizó que le representasen como un electrodoméstico. No sabía exactamente qué quería para la portada del álbum, pero sabía que eso no. Pero las carátulas ya estaban impresas y listas para ser utilizadas. Era un hecho consumado.

La carátula de Parry con una fotografía presuntamente inteligente y sin *track listing* (cada canción estaba representada por un fotografía) era típica del espíritu desafiante y con veleidades artísticas de la época pospunk. Al salir a la venta el 8 de mayo, estaba claro que *Three Imaginary Boys* también lo era.

Si The Cure ya tenía una estética musical minimalista, la criticada producción de Parry (al menos por Smith) la había recalcado todavía más. Todo en *Three Imaginary Boys* parecía desnudo, reducido, esquelético: algunas canciones eran poco más que lo esencial.

En «Accuracy» la guitarra de Smith describía tristes círculos alrededor del ritmo que marcaban Dempsey y Tolhurst. «Grinding Halt» era una lista de ausencias mientras Smith entonaba palabras de colapso social: «No hay luz, no hay gente, no se habla, no hay gente».

IZQUIERDA - Robert Smith, Michael Dempsey y Lol Tolhurst en 1979, nerviosos antes del lanzamiento.

THREE IMAGINARY BOYS

> «Mi problema con The Cure era que aquí estaba una banda sin una imagen propia pero con una música potente, así que pensé: «presentémosla sin imagen».»

CHRIS PARRY

LISTA DE TEMAS

CARA 1

10:15 Saturday Night
Accuracy
Grinding Halt
Another Day
Object
Subway Song

CARA B1

Foxy Lady
Meathook
So What?
Fire In Cairo
It's Not You
Three Imaginary Boys
Untitled (pista oculta, The Weedy Burton)

Fecha de lanzamiento 8 de mayo de 1979

Grabado en Morgan Studios, Londres (Inglaterra)

Producción
Chris Parry; ingeniero de sonido Mike Hedges

Músicos
Robert Smith: guitarra, voz (excepto en «Foxy Lady»), armónica («Subway Song»)
Michael Dempsey: bajo, coros y voz («Foxy Lady»)
Lol Tolhurst: batería

Músicos adicionales
Porl Thompson: guitarra principal, coros

Diseño de la carátula
Bill Smith: diseño y fotografía
David Dragon: ilustraciones
Martyn Goddard: fotografía
Connie Jude: ilustraciones

Sello discográfico Fiction FIX 1, 2442 163

Máxima posición en listas alcanzada tras su lanzamiento
Reino Unido 44, Francia 140, Nueva Zelanda 37

Notas
Todos los temas compuestos por The Cure (Robert Smith, Michael Dempsey y Lol Tolhurst), excepto «Foxy Lady» (Jimi Hendrix). El álbum incluye un tema final instrumental sin créditos informalmente titulado «The Weedy Burton». Este hecho no se reconoció hasta que fue reeditada la edición Deluxe en 2004.

THE CURE
HOOVER

La canción que da título al álbum era típica de la idiosincrasia y del modo de pensar de The Cure al principio de su carrera, un pequeño ejercicio sobre una angustia indeterminada, suave y deliciosamente oblicuo que parecía preguntar: ¿han existido alguna vez los miembros de la banda? *¿De verdad ha pasado algo de esto?* Aquí se mostraba plenamente la divertida y pícara indiferencia adolescente de los chicos de Crawley.

A lo largo de los años Smith ha criticado locuazmente *Three Imaginary Boys*, llegando al punto de casi renegar del álbum pues ha asegurado que hubiese sonado diferente si se hubiese hecho a su manera. A los pocos meses de su lanzamiento le dijo a un periodista: «El primer álbum fue como una recopilación. No tenía mucho que ver con lo que estábamos haciendo, ni siquiera en aquel momento».

Sin embargo y a pesar del duro veredicto del cantante de la banda, el álbum no fue un desastre. Era un disco de la época, un poco genérico: la cuestión era que Smith quería que The Cure sonase diferente a cualquier otra banda.

Las críticas de *Three Imaginary Boys* fueron favorables excepto por la de *NME*, pues a Paul Morley no le gustó nada lo que él percibió como la afectada y pretenciosa intrascendencia de The Cure.

«Intentan decirnos algo», escribió. «Intentan decirnos que no existen. Intentan decir que todo está vacío. Están haciendo el ridículo».

Se podría decir que tenía razón y al mismo tiempo estaba totalmente equivocado. El público dio la aprobación a *Three Imaginary Boys*: fue número 44 en las listas de éxitos del Reino Unido. Solo aparecería en las de otro país: en la Nueva Zelanda de Chris Parry llegó a ser número treinta y siete.

No era una interpretación trascendental, pero era un esfuerzo loable de una banda de ingenuos que, no hay que olvidar, todavía eran adolescentes y vivían con sus padres. Cuando el *enfant terrible* Nick Kent, ya de cierta edad, periodista de *NME*, le preguntó sobre este arreglo doméstico tan poco roquero, Smith le contestó desafiante y sin pizca de vergüenza: «Es que se está muy bien».

Con la popularidad de The Cure inexorablemente en alza, era hora de que empezasen las obligaciones... y mucho mas. Parry mandó a la banda de nuevo de gira, más de cien actuaciones en 1979, incluido su primer concierto internacional en un festival holandés.

El periodista Phil Sutcliffe, en una crítica en la revista *Sounds* de una de las actuaciones de The Cure en el Capitol Theatre de Aberdeen, demostró poca clarividencia cuando declaró que «Boys Don´t Cry» se enclavaba en un «territorio pop bastante tristón... no me gustaría que lo explorasen mucho más».

Fue un comentario extraño pues esta efervescente e insaciable gema era de lejos la canción más optimista y positiva de The Cure. No obstante, puede que Sutcliffe tuviese algo de razón, pues cuando salió como *single* en junio, se hundió sin dejar rastro.

De regreso en Crawley, Smith cada vez estrechaba más los lazos de amistad con Simon Gallup, que había dejado Lockjaw para formar una banda llamada The Magspies. Los dos amigos se convirtieron en cómplices y colegas de copas.

Como diversión, Smith había creado junto con Ric, el hermano de Simon Gallup, un sello discográfico que se llamaba Fools Dance. Lanzaron el *single* de edición limitada (muy limitada) «I´m a Cult Hero» de Frank Bell, el rechoncho cartero, acompañado por varios

músicos, entre ellos Smith, Tolhurst, Simon Gallup, Porl Thompson y las dos hermanas de Smith.

El proyecto no era más que una risotada, una broma, pero confirmó el estrecho lazo que había entre las almas gemelas de Smith y Gallup hijo y que pronto influiría en The Cure.

Mientras la estrella de The Cure seguía ascendiendo, otro grupo de protegidos de Chris Parry también estaba en alza. Había muchas similitudes entre The Cure y el *art-rock* oblicuo y oscuro de Siouxsie and The Banshees, pero ellos tenían varios *singles* de éxito y un álbum de debut en la lista británica alcanzó el Top 10.

Cuando Parry le presentó a Smith a Steve Severin, bajista de The Banshees, en una actuación de Throbbing Gristle en Londres a principios de agosto, los dos se cayeron bien inmediatamente. En un mes, The Cure actuaban como teloneros en la gira de Siouxsie and The Banshees por el Reino Unido para promocionar su álbum *Join Hands*.

Pero no todo iba sobre ruedas en el terreno de The Banshees. Siouxsie y Severin tenían problemas con el guitarrista John McKay y el baterista Kenny Morris, un conflicto interno que alcanzaría su punto crítico en Aberdeen el 6 de septiembre. Una discusión sobre unos discos que no habían entregado para una sesión de firmas en una tienda de discos local acabó con McKay y Morris yéndose furiosos al hotel donde se alojaba el grupo y después a Londres. Como gesto final desafiante dejaron los pases de la gira sobre las almohadas.

The Cure fueron teloneros en el Capitol Theatre y no sabían que había problemas hasta que el *tour manager* de The Banshees les pidió

PÁGINA ANTERIOR - Portadas de «Boys Don't Cry» y de «Jumping Someone Else's Train».
IZQUIERDA - El comienzo de una bonita amistad: The Cure actúan como teloneros de The Banshees, agosto de 1979.
INFERIOR - Echando un cable a la banda: Smith invitado de The Banshees, octubre de 1979.

que se quedasen en el escenario una vez que acabasen su actuación. Momentos después, Siouxsie y Severin se les unieron.

Siouxsie se dirigió al público disculpándose porque no podrían tocar y dijo unas palabras sobre McKay y Morris: «Si alguna vez los veis, tenéis mi bendición para darles una paliza». A continuación, Severin y ella se unieron a The Cure para tocar una improvisada y apoteósica versión de «The Lord´s Prayer» de The Banshees.

La gira con The Banshees era de lejos la mejor oportunidad que The Cure habían tenido hasta la fecha y parecía que se iba a acabar. Después del concierto, Smith y Tolhurst se ofrecieron para sustituir a los miembros ausentes de la banda para el resto de gira.

En un principio, Siouxsie y Severin declinaron la oferta y optaron por posponer los siguientes conciertos y hacer audiciones para reemplazar a los dos músicos. Esta búsqueda tuvo éxito a medias. Habían conseguido como su nuevo baterista a Budgie, que anteriormente estaba con los Slits, pero no lograron encontrar a un guitarrista y, al final, le pidieron a Smith si podía sustituirlo.

Menos de dos semanas después del desastre de Aberdeen, la gira Banshees/Cure estaba de nuevo en la carretera, con Smith tocando la guitarra para las dos bandas. Dijo que no le preocupaba tener más trabajo, pero optó por viajar en el lujoso autobús de The Banshees en lugar de en la vieja furgoneta de The Cure.

Este episodio agravaría las tensiones que estaban surgiendo en de The Cure. Smith, amigo íntimo de Lol Tolhurst, tenía una relación más formal y fría con Michael Dempsey, al que no le gustaba ir de gira tanto como a sus bebedores y juerguistas compañeros.

Cuando terminó la gira con The Banshees, Robert Smith, les puso a Tolhurst y a Dempsey un casete con ideas para el nuevo álbum. A Tolhurst le encantó: «Estaba impresionado con la belleza minimalista de las canciones», recordaría en *Cured*. Pero a Dempsey no.

La tibia reacción del bajo al nuevo material propuesto fue la última gota para Smith. Quería que Dempsey se fuese y sabía exactamente quien quería que lo reemplazase.

Smith le encomendó a Tolhurst darle la mala noticia a Dempsey y él le pidió a Simon Gallup que se uniese a la banda. Gallup no estaba muy convencido de sustituir a Dempsey, un amigo de la zona, pero consideró que The Cure estaba al borde del éxito y pensó que la oferta era demasiado buena para rechazarla.

Estaba claro que Smith se sentía un poco culpable por despedir a un miembro de la banda que había pertenecido a ella desde la época en que The Obelisk tocaba en las reuniones del colegio. Después de haberlo despedido, le telefoneó para decirle que podía conservar el nombre de The Cure, que ellos ya buscarían otro nuevo.

No tenía porqué preocuparse. Dempsey enseguida se unió a una banda que previamente le había confesado a Smith «era mucho mejor que The Cure»: The Associates, sus compañeros del sello discográfico Fiction, una fresca y delirante creación pop liderada por el incorregible Billy Mackenzie.

Smith todavía no había terminado con los cambios en la formación del grupo. También invitó al teclista Matthieu Hartley de los Magspies.

No está claro si esta decisión fue musical o política: ¿consideraba Smith que las nuevas canciones que estaba componiendo para el segundo álbum de The Cure se beneficiarían de una mayor profundidad y textura o simplemente invitó al compañero de copas de Gallup a que se uniese a la banda para que todos estuviesen contentos?

Lol Tolhurst se inclina por lo segundo. «No cabía duda de que la antigua banda de Simon iba a plantear problemas porque les había abandonado para tocar con nosotros y pensamos que si tenía a su amigo con él podría campear el temporal un poco mejor», dijo en *Cured*.

The Cure necesitaba unas cuantas actuaciones para acostumbrarse no solo al nuevo bajista sino al hecho de ser cuatro. Chris Parry, nunca temeroso de aprovechar una oportunidad, organizó Future Passions, una gira de fin de año con los grupos del sello discográfico Fiction: The Cure, The Associates y The Passions.

La nueva formación con Gallup y Hartley se fusionó bien durante la gira, tocando gran parte del nuevo material compuesto por Smith. Las tres bandas compartían el autobús y disfrutaron de la excursión, a pesar de que la situación podía resultar un poco violenta porque el despedido Dempsey formaba ahora parte de The Associates.

La gira Future Passions terminó en Crawley College y después The Cure cerró el año 1979 con unos conciertos europeos. Esto no eran más que nimiedades ante el acontecimiento principal. Había llegado la hora de que grabasen su nuevo álbum y Robert Smith no estaba dispuesto a cometer los mismos errores de la primera vez.

SUPERIOR - Los alegres y animados The Associates eran compañeros de la discográfica Fiction.
PÁGINA SIGUIENTE - Tres pasan a ser cuatro: Matthieu Hartley, Lol Tolhurst, Simon Gallup y Robert Smith.

«UNA DELGADA LÍNEA ENTRE LA INQUIETUD Y EL ABURRIMIENTO»

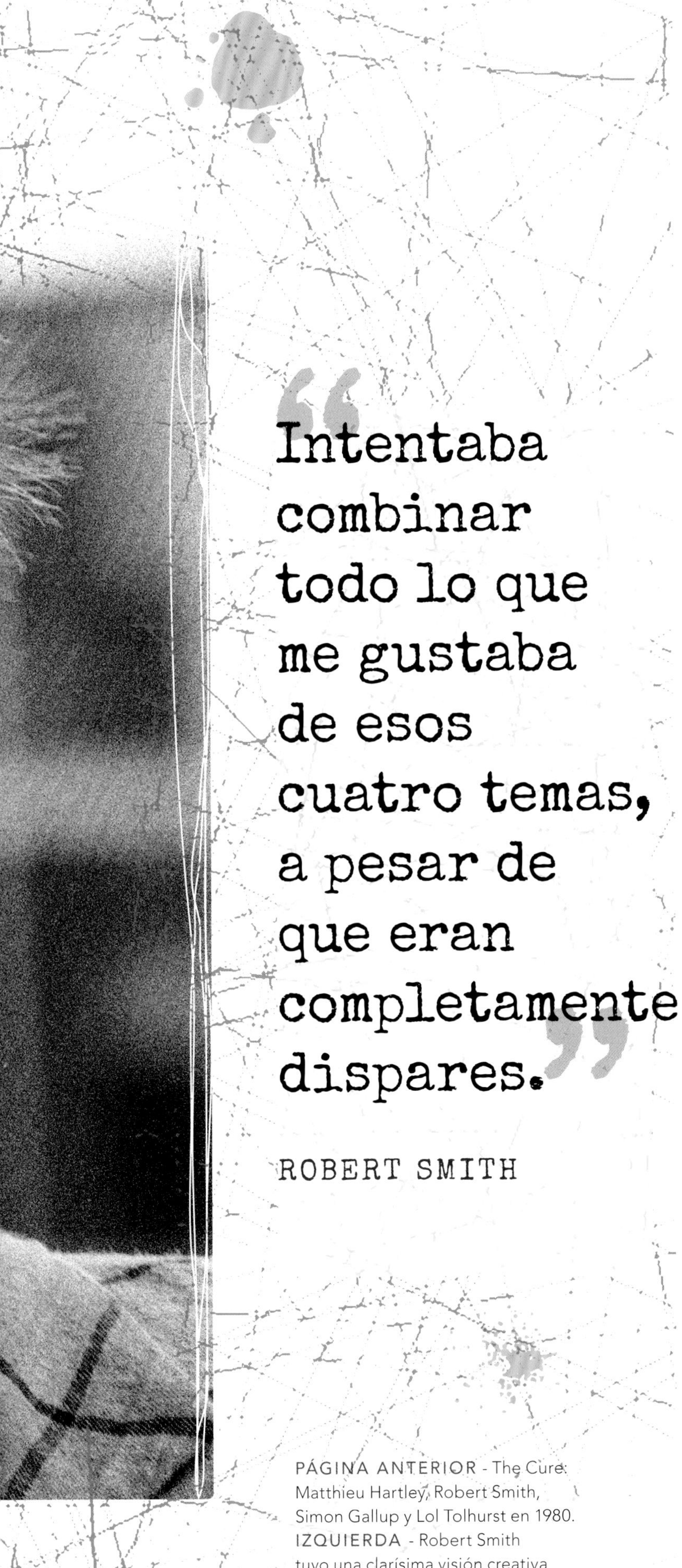

«Intentaba combinar todo lo que me gustaba de esos cuatro temas, a pesar de que eran completamente dispares.»

ROBERT SMITH

PÁGINA ANTERIOR - The Cure: Matthieu Hartley, Robert Smith, Simon Gallup y Lol Tolhurst en 1980. IZQUIERDA - Robert Smith tuvo una clarísima visión creativa para *Seventeen Seconds*.

Para un maniático del control como Smith, el bienintencionado control del álbum de debut de The Cure que había ejercido Chris Parry le había dolido mucho. Y Parry lo acabaría pagando. Cuando la banda fue a grabar el segundo álbum, a su mánager se le prohibió la entrada en el estudio.

Para *Seventeen Seconds*, su segundo álbum, Smith tenía una idea mucho más definida y ajustada de cómo quería que sonase y cómo conseguirlo. Decidió coproducir el disco con Mike Hedges, una persona en quien confiaba.

The Cure regresó a Morgan Studios a mediados de enero de 1980, una época en la que posteriormente Smith admitiría que lo que escuchaba era un casete grabado en casa y que ponía una y otra vez.

Este casete tenía solo cuatro temas: «Madame George» de *Astral Weeks* de Van Morrison; «Fruit Tree» del álbum *Five Leaves* Left de Nick Drake; «Gallane Ballet Suite N.° 1: Adagio» que había escuchado en la banda sonora de *2001 Una odisea del espacio* y la versión de Jimi Hendrix de «All Along the Watchtower» de Dylan.

Smith reconocería que este viejo casete C60 fue una especie de plantilla para *Seventeen Seconds*: «Intentaba combinar todo lo que me gustaba de esos cuatro temas, a pesar de que eran completamente dispares».

Esta improbable misión resultó todavía más audaz por el hecho de que no había mucho dinero: las ventas nada espectaculares de *Three Imaginary Boys* supusieron que The Cure no contase con mucho presupuesto. *Seventeen Seconds* se grabó entero en menos de dos semanas.

Estas estrecheces económicas fueron posiblemente al final una bendición. El poco tiempo y los escasos recursos hicieron que el proceso de grabación tuviese una intensidad necesaria y vital y, por tanto, el álbum resultante, una integridad y una claridad muy superior a la de su deslavazado predecesor.

Robert Smith ha descrito a menudo *Seventeen Seconds* como el primer álbum «de verdad» de The Cure. Ciertamente es el primero que presenta lo que se convertiría en su sonido característico: una devoradora e inquietante angustia existencial desde cuyas profundidades Smith aullaba como si intentase trasmitir la insoportable vulgaridad del ser.

Nadie podría definir *Seventeen Seconds* como una fiesta. Tras la pícara y formal introducción del piano en «A Reflection» (¿probablemente un valeroso intento de canalizar Khachaturian?), la quejumbrosa «Play For Today» reveló lo que, incluso en una fase tan temprana de la carrera del grupo, podría ser la letra arquetípica de Smith: «Es lo que siento que importa/Dime que me equivoco, la verdad es que me da igual».

Parecía que The Cure se había impuesto la misión de no presentar una variedad diversa de emociones humanas, sino de plasmar la desesperación en su más negra, sombría y laberíntica

SEVENTEEN SECONDS

> "Smith describe con una rara intensidad una sensación metafísica de aislamiento y soledad."

PHIL SUTCLIFFE, *SOUNDS*

CARA 1
A Reflection
Play For Today
Secrets
In Your House
Three

CARA 2
The Final Sound
A Forest
M
At Night
Seventeen Seconds

Fecha de lanzamiento 22 de abril de 1980

Grabado en Morgan Studios, Londres (Inglaterra)

Producción
Producción y sonido: Mike Hedges y Robert Smith
Producción adicional: Chris Parry

Músicos
Robert Smith: guitarra, voz
Matthieu Hartley: teclados
Lol Tolhurst: batería
Simon Gallup: bajo

Diseño de la carátula
Bill Smith y The Cure

Sello discográfico Fiction FIX 004, 2383 574

Máxima posición en listas alcanzada tras su lanzamiento
Reino Unido 20, Australia 39, Francia 80, Países Bajos 15, Nueva Zelanda 9

Notas
Todas las letras compuestas por Robert Smith, toda la música compuesta por The Cure. En 2000, la revista Q sitúo *Seventeen Seconds* en el puesto 65 en su lista de los mejores álbumes británicos de la historia.

THE CURE
SEVENTEEN SECONDS

LISTA DE LECTURAS

Seventeen Seconds
«At Night», del álbum *Seventeen Seconds*, está inspirada en el relato corto de Franz Kafka *De noche*, del que Robert Smith cogió la frase «alguien tiene que estar ahí».
«M» está inspirada en *La mort heureuse* (*La muerte feliz*) de Albert Camus, en especial, la frase «hola imagen».

profundidad. «Secrets» es poco más que el triste murmullo de Smith envuelto en el sonido sombrío de los acordes de una guitarra que apenas consiguen llegar al final de la canción.

«In Your House» es otra triste y lúgubre letanía depresiva desplegada sobre el lamento del bajo y el extraño y rudimentario toque de batería de Tolhurst. «Three» no es en absoluto una canción, simplemente un escalofrío producido por una instrumentalización fracturada, perdida, la oscuridad que se abate. «The Final Sound» un réquiem sin palabras, atonal.

Sin duda, la declaración de intenciones de *Seventeen Seconds* es «A Forest». Con una duración de casi seis minutos, esta evocadora y emotiva amenaza se despliega alrededor de unos acordes de guitarra un poco claustrofóbicos, pero a la vez pegadizos. Sobresalía de lo que la precedía por una razón contundente: su fantástica y punzante melodía.

Austera y picaresca a la vez, «A Forest» se anima con el grito lastimero de Smith (y gritar de forma lastimera es una habilidad rara) de «¡Into the trees!» («entre los árboles«). Trataba, diría a *The Face*, de estar perdido en un denso e inquietante bosque.

«*En realidad* uno no se pierde en la ciudad, ¿verdad que no?» se preguntó. «Siempre hay una señal que se puede seguir o un policía al que preguntar».

Seventeen Seconds, poseído por una intensa sensación de propósito, avanza en su incesante vena deprimente hasta que se cierra con la fervientemente adusta visión sobre la existencia humana de la canción que da título al álbum: «*Seventeen seconds/a measure of life*» (Diecisiete segundos/una medida de la vida). Cuando el álbum terminaba, no sabías si aplaudir o dar las gracias.

Seventeen Seconds era una obstinada búsqueda de lo profundo. Una visión del mundo inflexible y adolescente a ratos agotadora, pero a la vez un documento formidable, una visión oscura completamente desarrollada y un enorme salto del álbum deshilvanado e irregular que le precedió.

> “Siempre en una delgada línea entre la inquietud y el aburrimiento.”

PAUL MORLEY, *NME*

«A ver, ¿quién está nervioso y quién está aburrido?»:
The Cure en la semana del lanzamiento de *Seventeen Seconds*

> "Mis palabras son principalmente sobre mí."
>
> ROBERT SMITH

Cuando salió a la venta el 22 de abril, los críticos británicos de música *rock* le dieron en general una cautelosa acogida, aunque constataron que a veces era completamente impenetrable. El crítico Phil Sutcliffe, de *Sounds*, seguidor de The Cure desde hacía tiempo, identificó correctamente la tendencia de Smith a regodearse en una melancolía extenuante.

«Los tonos de los colores del disco son inquietantes sensaciones fronterizas, de una indómita tierra de nadie», escribió. «Smith describe con una rara intensidad una sensación metafísica de aislamiento y soledad».

El periodista de *NME*, Nick Kent, que seguía teniendo curiosidad con respecto a estos recién llegados del pop-*noir* y seguía siendo ambiguo, comentó que el nuevo elemento de la banda, el teclado de Matthieu Hartley, había acoplado «muchas de las rutinas texturales que la guitarra de Smith había cubierto previamente». Predijo el efecto divisorio entre los oyentes por la «voz implorante».

Kent explicó que consideraba que había dos posibles reacciones a los temas desoladores de The Cure: «O te sientes atraído por el paisaje creado o te sientas a esperar una repentina sacudida, una apreciación». Ni siquiera la clara obra maestra del álbum, «A Forest», fue inmune a estas reservas: «Simplemente está ahí, revolviéndose en ocasiones».

Kent concluía su crítica de una forma muy parecida a como la había empezado: con suma ambigüedad. A pesar de que consideró que la magistral monotonía de *Seventeen Seconds* era en última instancia «depresivamente regresiva», seguía pareciéndole que The Cure eran una gran promesa: «Espero con gran interés su siguiente paso».

No obstante, fue Paul Morley de *NME*, un periodista increíblemente perceptivo y, como Smith, hijo del punk y del *new wave*, quien mejor entendió el palpitante corazón del álbum. Pese a haber ridiculizado *Three Imaginary Boys*, encontró oscuras maravillas en el fértil álbum que le siguió.

«*Seventeen Seconds* es un álbum de romántica melancolía, de angustia y finalmente de horror», escribió. Morley, que se había unido a The Cure en la gira, enfrascado en una conversación con Smith a altas horas de la noche y los dos borrachos de vino tinto, incluso detectó un álbum conceptual, en algún lugar.

«Es una colección de canciones que rehace y adapta incesantemente un incidente en particular desde el interior de una trampa amorosa», especuló. «Smith reflexiona sobre un momento en particular desde diferentes puntos de vista: resentido en "Play for Today"; morboso en "In Your House"; casi apagado en "Seventeen Seconds"».

¿Era eso cierto? A Morley le estaba ayudando un poco en su crítica Smith, a quien había reprendido durante la entrevista por sus respuestas deliberadamente vagas. El cantante, contento, parece que se tomó la reprimenda como un cumplido.

Sin embargo, Morley encontró un filón cuando después de hablar de *Seventeen Seconds*, centró su cerebro de forense en Smith, el joven tímido que en el fondo seguía siendo un adolescente con espíritu de contradicción, e intentó analizar qué era lo que movía al tozudo líder de The Cure.

«A veces parece como si a Robert Smith le diese vergüenza vivir», reflexionó. «Le desconciertan el alcance y las exigencias de su ego, es necesariamente vago sobre su música y por último, le avergüenza la forma vulgar en que se suele vender».

Situando a Smith, con bastante exactitud «siempre en una delgada línea entre la inquietud y el aburrimiento», Morley identificó además cómo el arte del inquieto cantante era esencialmente irreductible, ensimismado: «Para Smith es algo natural tocar en un escenario, con amigos, para él, con el público solo a medias bienvenido».

Por su parte, Smith coincidió contento con este análisis. «Mis palabras tratan principalmente de mí, no sobre lo que yo pienso de la situación del mundo», comentó. «Hay emoción genuina [en *Seventeen Seconds*]: si la gente se lo quiere tomar así depende de ellos. Ahora ya está hecho. La verdad es que me da igual».

Sin embargo, esto era solo la mitad de la historia. La música de Smith puede que fuese corta de miras, egocéntrica, pero esto no significaba que otras personas pudiesen identificarse con ella y que les encantase. «A Forest» fue el primer *single* de éxito de The Cure en el Reino Unido, llegó al número treinta y uno de las listas de éxitos, mientras que *Seventeen Seconds* incluso se coló en la lista británica de mejores álbumes y llegó al número veinte.

En ese momento, The Cure se fue a Estados Unidos.

Chris Parry había empezado a preparar el terreno para el primer asalto de la banda en Estados Unidos, reeditando el álbum *Three Imaginary Boys* con el título de *Boys Don't Cry* para su lanzamiento estadounidense. Contenía ocho canciones de ese debut original, más unos cuantos *singles* posteriores como el que daba título al álbum.

Ahora bien, esta muestra de su música todavía no se había publicado cuando The Cure inició una pequeña gira por varias ciudades de la costa este estadounidense en un poco conocido local de Emerald City en Cherry Hill, New Jersey, el 10 de abril de 1980.

PÁGINA ANTERIOR - Portada de *Boys Don't Cry*.
INFERIOR - El mundo pospunk estadounidense y el británico se encuentran: Debbie Harry con Tolhurst y Smith.

Ninguno de nosotros somos intérpretes innatos... yo no estoy cómodo sobre el escenario; no me gusta hablar con un micrófono.

ROBERT SMITH

Melody Maker, que vio esta primera actuación, curiosamente dijo que la banda era «sin concesiones, un grupo de vulgares gamberros», y concluyó, de forma todavía más desconcertante, que «pese a su reputación de "señor retraído y reticente", desde aquí Robert Smith parece totalmente el hombre fuerte».

La banda continuó después con tres conciertos en Hurrah, el influyente local neoyorquino del pospunk. Estos conciertos no eran fáciles de vender. Sin haber publicado todavía ningún disco suyo en Estados Unidos, a The Cure no debía de conocerlos nadie excepto los anglófilos más acérrimos entre los bohemios neoyorquinos. Entre ellos, Debbie Harry y Chris Stein de Blondie y David Johansen, el cantante de New York Dolls, que asistieron al primer concierto.

A pesar de su bajo perfil en Estados Unidos, la banda no tendió la mano al público que fue a verlos. Tal y como Smith reconoció a Paul Morley: «Soy muy egoísta cuando salgo al escenario. No saltamos... no nos sale de forma natural, así que ¿por qué lo íbamos a hacer?».

PÁGINA ANTERIOR - La peor rueda de identificación del mundo: The Cure en Nueva York en abril de 1980.
SUPERIOR - Con Blondie en el *backstage* del Hurrah,el 16 de abril de 1980.

Volvió a hablar sobre la misma cuestión en la revista estadounidense *Trouser Press*: «Ninguno de nosotros somos intérpretes innatos, excepto quizá Simon, el bajista. Yo no estoy cómodo sobre el escenario; no me gusta hablar con un micrófono. Nunca se me ocurre hacer un movimiento raro con el brazo cuando toco la guitarra, no acertaría. Nunca he ensayado delante de un espejo».

Trouser Press estaba entre el público en el primer concierto que dieron en Hurrah e informó que la banda tuvo una buena acogida a pesar de las interrupciones de un pesado que un Smith desconcertado pensó que gritaba «méate en Portobello Road, o algo parecido». La revista concluía, de manera un poco extraña, que estos neófitos ingleses tocaban «música de baile para autistas». The Cure, turistas boquiabiertos bajo el manto de su tímido cinismo, pasaron sus días en Nueva York haciendo turismo.

Pese a su actitud distante de músicos *art-rock*, en ese primer viaje a Estados Unidos, la costumbre de la banda de beber cuando no trabajaban desembocó en las típicas juergas roqueras. Smith también confesaría que en ese viaje probaron la cocaína por primera vez —una experiencia que encontraron tremendamente agradable—.

"Resultábamos muy taciturnos y desinteresados, porque lo éramos."

ROBERT SMITH

La última actuación de The Cure en Estados Unidos en el Allston Underground en Boston el 20 de abril, fue el día antes del vigésimo primer cumpleaños de Smith y aparecieron una hora y media más tarde. No fue una buena idea que un Smith todavía borracho y colocado decidiese a la mañana siguiente dar un paseo por Boston en el capó del coche que había alquilado el grupo. Tampoco fue una buena idea que cuando se le pinchó una rueda se ofreciese a cambiarla: se hizo añicos el pulgar.

Al regreso de la magullada banda a Gran Bretaña, este percance suministraría la imagen definida del rito iniciático de todas las bandas de *rock* emergentes en el Reino Unido: su primera aparición en *Top of the Pops*.

Este programa musical bandera de la BBC que se emitía semanalmente y que se había estrenado en 1964 tenía desde entonces una enorme audiencia. Ningún artista que se preciase —excepto la banda The Clash que siempre lo boicotearon, pues lo consideraban falso— podía considerar que su éxito estaba consolidado hasta que hubiese actuado en *Top of the Pops*.

IZQUIERDA - «Taciturnos y desinteresados», The Cure en el *backstage* de *Top of the Pops*.
DERECHA - Robert Smith actúa en el *show Veronica's Countdown*, en la televisión holandesa, el 17 de enero de 1980.

> «A veces siento que quizá me encuentre en lo que otra persona consideraría que es el paraíso.»
>
> ROBERT SMITH

Sin duda The Cure fue la primera banda que debutó en este programa en agosto con el dedo del cantante envuelto en un enorme vendaje como si se recuperase de un percance de comedia. Y en cierto modo así era.

Por su parte, un cauteloso Smith compartía con The Clash la desconfianza sobre el oropel y la forzada alegría de *Top of the Pops*. «Resultábamos muy taciturnos y desinteresados», comentaría posteriormente, «porque lo éramos».

Como es evidente, la antipatía se percibió. Participar en *Top of the Pops* invariablemente daba a todos los artistas un empujón en las ventas y el *single* de The Cure entró en los primeros puestos de la lista de éxitos del Reino Unido. Con su tendencia a la exageración, Smith siempre ha dicho que después de la aparición de The Cure en el programa, «A Forest», descendió. No es así, pero su actitud taciturna e indiferente les aseguró que solo subiesen cuatro puestos.

Con *Seventeen Seconds* publicado y perfilándose como éxito comercial (relativamente), era hora de que The Cure se pusiesen a tra-

bajar duro y volviesen de nuevo a la carretera para promocionarlo. Emprendieron una gira que llevaría su característica desolación a muchos lugares del globo.

Resultaba irónico que Robert Smith hubiese formado The Cure principalmente para evitar el aburrido trabajo de un empleo normal, pues ahora, a veces, daba la sensación de que las largas horas de la gira le resultaban una lata. Siempre encontraba cosas con las que estar insatisfecho. La vida en la carretera era la última.

Cuando Paul Morley le dijo al cantante que la mayoría de la gente mataría por ser una estrella de *rock*, la respuesta fue típica de Smith: «A veces siento que quizá me encuentre en lo que otra persona consideraría que es el paraíso». No obstante, reconoció que disfrutaba teniendo a su lado a Gallup, su amigo del alma, en este última viaje.

Después de varias actuaciones en el Reino Unido, la banda se dispuso a emprender su gira europea más importante hasta la fecha. No estuvo escasa de jarana. Tolhurst, que cada vez bebía más antes de los conciertos, muchas veces no podía aguantar toda la actuación sin ir al baño y salía con disimulo para orinar en un cubo detrás del escenario durante la introducción de «Grinding Halt».

El grupo tuvo un roce con las autoridades después del concierto en Rotterdam, pues se fueron a bañar desnudos al amanecer en una ciudad costera con el insólito nombre de Monster. Solo estuvieron un día en las celdas de la comisaría: Smith y Tolhurst pagaron enseguida a la policía holandesa una multa/mordida.

Chris Parry utilizó todos sus contactos en las antípodas para organizar una larga serie de conciertos en Australia y Nueva Zelanda, donde *Seventeen Seconds* se estaba vendiendo bien. Fue durante estas actuaciones cuando las cosas empezaron a ir mal otra vez en el grupo.

A Matthieu Hartley su primera gira larga le estaba pareciendo muy exigente. Aburrido y añorando su casa, desahogaba sus frustraciones en el impasible y a menudo borracho Tolhurst, cuya naturaleza estoica implicó que se convirtiese en el chivo expiatorio del grupo.

«Al viejo y querido Lol, le pegamos, le tomamos el pelo, le incriminamos, pero él lo entiende», le contó el teclista a un periodista. «Tenemos que desahogarnos de alguna manera y él es el blanco». Sin embargo, también se estaba produciendo una escisión más importante entre Hartley y Smith.

La dirección que estaba tomando la música de The Cure, que más oscura no podía ser, no le gustaba a Hartley y no se cortaba en decirlo. Como era de imaginar, el cantante no se lo tomó bien y cuando llegaron a la fase australiana de la gira, ya no se hablaban.

Esto no tendría que haber sido ninguna sorpresa. Smith ya había admitido que no era exactamente una persona a la que le gustase mucho la gente cuando estaba de gira. «Encuentro que las giras y esas cosas hacen que me encierre en mí mismo», explicó a *NME*. «Me endurezco y tiendo a recluirme. Rehúyo a la gente».

Esta situación no se resolvió después de la gira. En cuanto regresaron al Reino Unido en agosto de 1980, Hartley telefoneó a Smith y dejó el grupo. The Cure estaba sin teclista y era de nuevo un trío.

Tras seis duros meses en la carretera, el sentido común indicaba que The Cure tendría que haberse tomado un merecido descanso y no verse en varias semanas. Pero no lo hicieron. Fueron directos a Morgan Studios para grabar un nuevo álbum.

En la actualidad, esto puede parecer muchísimo trabajo, pero era lo que en los setenta y a principios de los ochenta solían hacer las bandas: un álbum anual y después una gira. Pero mirando hacia atrás, Tolhurst le ha echado la culpa del pesado y extenuante programa a su sello discográfico.

«Teníamos opciones anuales, que significaban una vez al año. Fiction escogía la opción de nuestro contrato y aceptaba grabar y comercializar un nuevo disco», explicaba en *Cured*. «Era un acuerdo injusto en algunos aspectos pues nos dejaba muy poca autonomía, con solo el siguiente disco como certeza».

Después de haber pasado el año trabajando mucho y tocando todavía más, The Cure no estaban ni física ni mentalmente preparados para grabar otro disco en septiembre de 1980 y eso se notó. La sesión inicial de tres días fue sosa y sin inspiración y solo produjo versiones planas de dos canciones que habían compuesto allí mismo: «All Cats Are Grey» y «Primary».

Afortunadamente, tenían una válvula de escape del estudio, salir de nuevo de gira para dar más conciertos en Europa y en Gran Bretaña. En un intento de mezclar las cosas, pidieron demos y escogieron una banda local nueva como teloneros en cada uno de los conciertos en el Reino Unido. La gira culminó con un tumultuoso y alcohólico concierto en Navidad en Londres junto a sus habituales compañeros de giras, Siouxsie and The Banshees y The Associates.

A pesar de todo, al comienzo de 1981, The Cure tuvo que grabar su tercer álbum de estudio —y se dispusieron a hacerlo con un estado de ánimo especialmente sombrío—.

La abuela de Smith, a la que estaba muy unido, estaba gravemente enferma y Daphne, la madre de Tolhurst, la única a quien quería de sus progenitores y que le quería a él, sufría un cáncer terminal y tras someterse a dolorosos tratamientos de quimioterapia y radioterapia, había decidido recibir cuidados paliativos. Solo le quedaban semanas de vida.

Mientras Tolhurst se hundía en una especie de ensueño sombrío, temiendo su inminente pérdida, Smith se dedicó a visitar las iglesias de la zona en una intuitiva e imprecisa búsqueda de un mayor propósito en la vida. Sus visitas no fueron productivas.

IZQUIERDA - Robert Smith sobre el escenario en 1981: «Encuentro que las giras y esas cosas hacen que me encierre en mí mismo».

LISTA DE LECTURAS

Other Voices
Inspirada en *Otras voces, otros ámbitos* de Truman Capote.

The Drowning Man
Basada en *Gormenghast* de Mervyn Peake.

«Pensaba sobre la muerte y observaba a todas las personas en la iglesia y sabía que estaban allí sobre todo porque deseaban la eternidad», reflexionó años después. «Me di cuenta de que no tenía nada de fe y de que estaba asustado».

Habría que señalar que a estas alturas The Cure ya había grabado dos álbumes, había conseguido ser en el Reino Unido una banda de culto y había hecho avances en Europa y en Estado Unidos, pero Robert Smith solo tenía veintiún años. Alérgico a lo que él percibía como los aburridos rigores de la edad adulta, estaba todavía atrapado en una adolescencia prolongada o disfrutando de ella.

Una de las características más marcadas del varón adolescente es la sensación de ser excepcional: la idea de que nadie más puede «sentir» el mundo de forma tan intensa, tan dolorosa y con tanta percepción como tú. Esta actitud fue la base emocional de *Faith*.

Como cabe esperar de un álbum que buscaba exteriorizar un tema tan misterioso y profundo, esas largas y desoladas noches del alma, tuvo un período de gestación espinoso. Mientras que *Seventeen Seconds* se grabó en dos semanas, *Faith* fue un arduo y largo proceso de elaboración.

Tras las sesiones abortadas de septiembre, The Cure regresó en enero a Morgan Studios con Mike Hedges, pero de nuevo se topó con un muro creativo. A lo largo del siguiente mes, probaron como mínimo otros cuatro estudios alternativos y terminaron en Abbey Road.

Durante este proceso, Smith muchas veces parecía que estaba en guerra con Hedges, el productor del disco, y con sus compañeros de la banda. Como quería hacer un álbum sumamente profundo,

parecía que los creía incapaces de entender la enormidad de lo que pretendía hacer o que intentaban sabotearlo.

No ayudó que además de las grandes cantidades de alcohol que consumían habitualmente los miembros de The Cure, se hubiesen aficionado de tal manera a la cocaína que estaba a punto de convertirse en una adicción, como admitiría Smith a la revista musical británica *Uncut* en el año 2000:

> «Durante la grabación de *Faith* tomaba mucha coca. Era un ambiente muy difícil y había mucho malestar. Todo lo que hacíamos salía mal. Yo tenía los ojos rojos todo el tiempo y estaba amargado y *Faith* no estaba saliendo en absoluto como yo quería. Recuerdo terminar de grabar las letras en el estudio de Abbey Road y sentirme increíblemente vacío».

Tolhurst recordaría tiempo después que en las últimas sesiones de grabación tuvieron una necesaria carga de energía e inspiración gracias a la visita de Billy Mackenzie, cantante de The Associates y una fuerza de la naturaleza, al estudio de Abbey Road. Hay que decir que su *joie de vivre* no pasó a los surcos del disco.

Desde las sombrías y solemnes notas del bajo que inician el álbum y a través de los siguientes treinta y siete minutos, *Faith* era un suspiro de terror existencial, una clase magistral sobre introspección sensiblera. Smith buscaba respuestas sobre lo que significa todo, pero no sabía cuál era su mensaje, lo que sí sabía es que no tenía ningún interés en alegrarlo o hacerlo remotamente accesible.

Después de la liturgia escueta y nihilista de «The Holy Hour», al menos «Primary» se desarrolla con un ritmo alegre y rápido, incluso aunque la voz de Smith suene de lo más gangosa e irritada. Su tono chillón y resentido irradiaba una insatisfacción vaga e imprecisa: ¿con qué? Bueno, ¿qué tienes?

Smith, siempre tan inspirado por la literatura como por la música, tomó el título «Other Voices» de *Other Voices, Other Rooms* (*Otras voces, otros ámbitos*), la novela iniciática, sumamente inquietante, que Truman Capote escribió cuando tenía veintitrés años. Del mismo modo, «All Cats Are Grey» está inspirada en la *Trilogía de Gormenghast* de Mervin Peake, un autor gótico que le gustaba.

El suicidio el año anterior de Ian Curtis, el vocalista de la banda Joy Division, conmovió profundamente al cantante de The Cure. «The Funeral Party», de *Faith*, podría haber sido perfectamente un tema magistral y elegíaco del sombrío *Closer* de Joy Division, publicado un mes después de la muerte de Curtis. Pero trataba de la muerte de los abuelos de Smith.

Entre este implacable pesimismo, al menos «Doubt» tiene el pulso y el toque de una pasión más fuerte que la devoradora desesperación,

“Era un ambiente muy difícil y había mucho malestar... Yo tenía los ojos rojos todo el tiempo y estaba amargado.”

ROBERT SMITH

IZQUIERDA - Atrapados en una larga adolescencia: The Cure, en julio de 1981.
DERECHA - En guerra con su banda y con el mundo.

FAITH

> "Un sofisticado ejercicio de atmósfera y producción. Puede que no te encante, pero te creará adicción."

ADAM SWEETING, *MELODY MAKER*

LISTA DE CANCIONES

CARA 1

The Holy Hour
Primary
Other Voices
All Cats Are Grey

CARA 2

The Funeral Party
Doubt
The Drowning Man
Faith

Fecha de lanzamiento 14 de abril de 1981

Grabado en Morgan Studios, Londres (Inglaterra)

Producción
Producción y sonido: Mike Hedges y The Cure

Músicos
Robert Smith: voz, guitarra, teclados, sintetizador, piano, bajo de seis cuerdas, bajo
Lol Tolhurst: batería, programación
Simon Gallup: bajo

Diseño de la carátula
Porl Thompson y Andy Vella

Sello discográfico Fiction FIX 6, 2383 605

Máxima posición en listas alcanzada tras su lanzamiento
Reino Unido 14, Australia 38, Francia 84, Países Bajos 9, Nueva Zelanda 1, Suecia 38

Notas
Todas las letras compuestas por Robert Smith, toda la música compuesta por The Cure. en 2011, The Cure tocó el álbum entero en dos actuaciones para el Vivid Live Festival en la Ópera de Sídney, en Australia. En el programa los conciertos se denominaron The Cure: Reflections

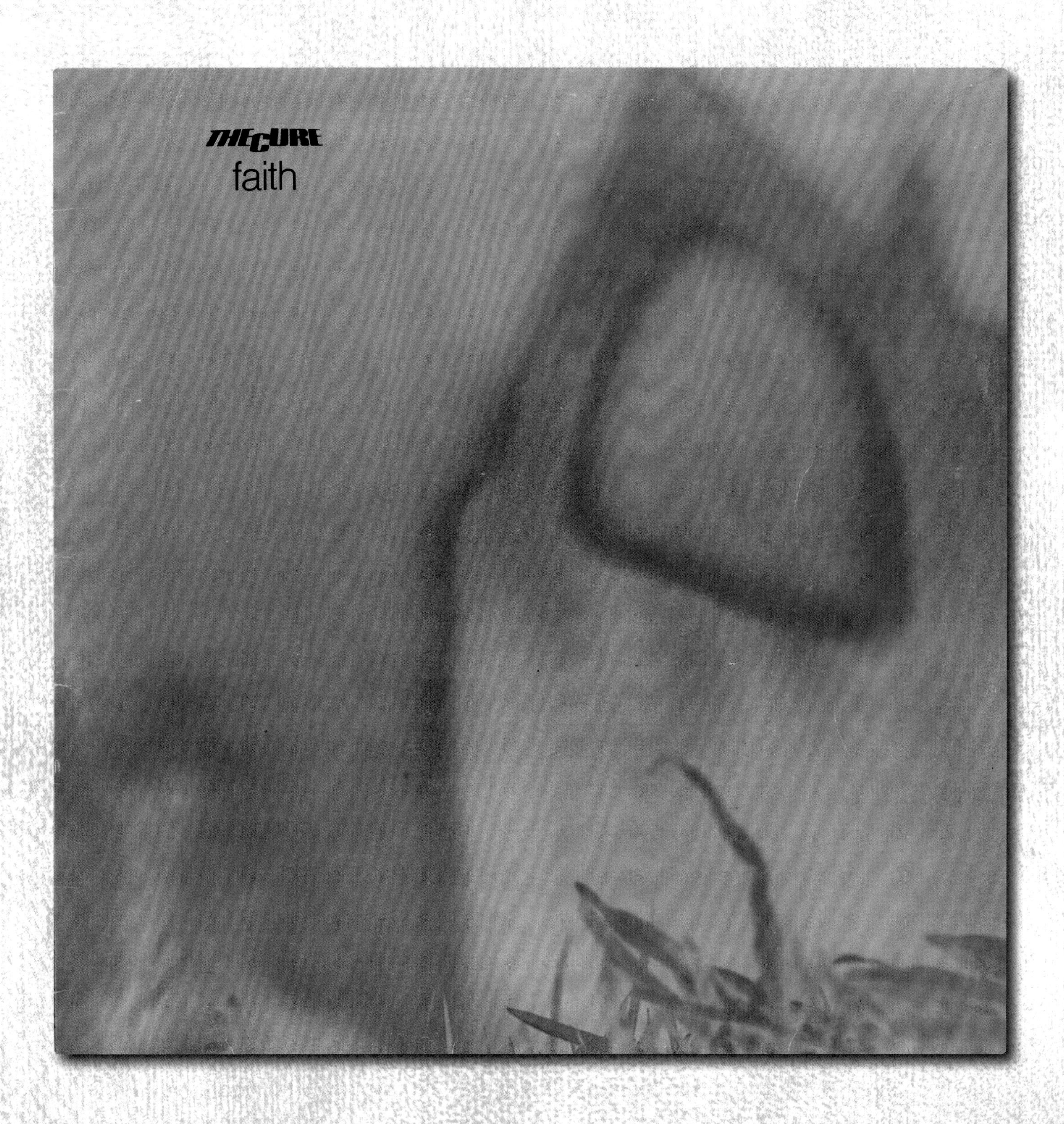
THE CURE
faith

pero este interludio cargado de energía no duraría mucho. El tema, el que da título al álbum, desdice su nombre, como desdice el disco entero: no había esperanza ni fe en este camino triste y desolado.

«No queda nada excepto la fe», entonaba un aparentemente vacío Smith mientras la canción y el álbum se iban desvaneciendo en el silencio y la nada. No parecía precisamente que él tuviese mucha.

Chris Parry, un hombre que como a la mayoría de los ejecutivos de las discográficas le gustaba una buena y comercial canción pop, no estaba encantado con *Faith* y cuando el álbum salió a la venta el 14 de abril de 1981, muchos críticos musicales británicos compartieron su recelo y, en algunos casos, fueron claramente hostiles.

Mike Nicholls de la revista musical semanal *Record Mirror* consideró *Faith* un álbum «vacío, superficial, pretencioso, sin sentido, presuntuoso y completamente desprovisto de corazón o alma». Más conocido por su faceta como humorista gráfico, el acérrimo punk y crítico de *NME* Ray Lowry dijo desdeñosamente que el disco era «la cara moderna del Pink Floydismo». No lo dijo como un cumplido.

En una crítica titulada «EL FUNERAL DE THE CURE», el periodista de *Melody Maker* Adam Sweeting ofreció una apreciación más sensible sobre los matices del disco. Alabándolo como «un sofisticado ejercicio de atmósfera y producción», resaltó hábilmente su retorcido atractivo: «Puede que no te encante, pero te creará adicción».

Como corresponde al progenitor de un álbum obsesionado con el descontento y la insatisfacción, Robert Smith estaba decepcionado con *Faith*, como reconoció en la revista *Trouser Press*, principal defensora de The Cure en los medios de comunicación estadounidenses:

> «No nos dimos el tiempo suficiente para desarrollar las canciones en el estudio. Pero por otro lado, si hubiésemos tardado más, habría sido una muestra de autocomplacencia. En el último disco tardamos unos veinte días, con este un poco más, pero incluso eso ha sido demasiado. Tenemos unos límites que nos hemos autoimpuesto con relación al tiempo y al dinero que debemos invertir. Nos ha tomado tanto tiempo porque no hacían más que echarnos de los estudios en favor de gente «más importante» y una vez que perdimos la inspiración, nunca logramos recuperar completamente el ambiente que queríamos. Además, parte del disco habría sido un poco más cohesivo».

En definitiva, un álbum sombrío y casi sin melodías sobre el nihilismo moderno y la desorientación, que hasta Smith lo consideró una decepción. Entonces, el *Faith* sería un desastre comercial, ¿no?.

Pues precisamente eso es lo que habría indicado la lógica, pero esta poco tiene que ver con la música pop, incluso una tan sombría. El disco alcanzó el Top 20 del Reino Unido, donde llegó a ser el número catorce. Al otro lado del mundo, en Nueva Zelanda, aunque parezca increíble, llegó a ser número uno.

Fue un logro sorprendente para una banda de músicos *art-rock* melancólicos y con espíritu de contradicción, especialmente cuando en The Cure la balanza en la definición de *art-rock* se inclinaba más por la parte del arte. Su siguiente aventura creativa demostraría con qué actitud desafiante bailaban su propio son.

Smith se resistía a llevar a otra banda en la gira promocional de *Faith*, pues no quedó satisfecho con el experimento de ayudar a grupos nuevos locales, de modo que esta vez decidió hacer las cosas de forma muy diferente. El telonero sería una película.

Aunque empezó buscando a su futuro director en las escuelas de cine, acabaría encontrando al David Lynch de la banda mucho más cerca de casa, en Crawley. Se lo pidió a Ric, el hermano de Gallup, la persona que había financiado la demo que hizo que Chris Parry se fijase en The Cure.

El hermano mayor de Simon no necesito que se lo pidiesen dos veces. En su garaje, filmó una película de animación con mucho grano con muñecas que colocaba de distinta forma. A este ejercicio *amateur* de cine de arte y ensayo le dio el título de *Carnage Visors*.

La génesis de la película tuvo problemas: cuando Gallup recogió del revelado el material que había filmado, se dio cuenta de que se había confundido con las exposiciones y que la película era tan oscura que no se podía ver. De vuelta en el garaje, filmó una versión más visible y The Cure grabó una banda sonora instrumental sombría y solemne.

Era poco probable que *Carnage Visors* embelesase al crítico cinematográfico Robert Ebert, pero la banda estaba satisfecha con la película e incluso denominaron la gira para promocionar *Faith*, Picture Tour en su honor. Los fans que llegaban pronto a los conciertos empezaban a verla con interés y después, cuando a los pocos minutos se daban cuenta de que no pasaba nada, se iban al bar.

Cuando The Cure subió al escenario, las cosas no fueron mucho mejor. Con una actuación que no estaba pensada para complacer al público, inspirada casi totalmente en *Seventeen Seconds* y *Faith* y que ignoró casi todas las peticiones de canciones anteriores con más chispa, los críticos pronto observaron que un apático sopor se cernía sobre la banda y sobre los fans.

Como experiencia emocional fue extenuante y muy dura.

«No me di cuenta del efecto que tendría [la deprimente *set list*] en el grupo». Explicaría Smith a la revista musical británica *Uncut* en el año 2000. «Esas canciones tenían un efecto depresivo sobre nosotros; cuanto más las tocábamos, más desanimados y desolados estábamos».

Además de la enervante música, la enfermedad terminal de Daphne, la madre de Tolhurst, también flotaba sobre los conciertos como una nube oscura. De forma irónica, y en cierto sentido inapropiada, The Cure tocó la parte holandesa de la gira Picture en la carpa de un circo que viajaba de ciudad en ciudad. Tras una actuación en Sittard, el baterista llamó a su hermano Roger en Inglaterra y este le dijo que su madre había empeorado.

> «Esas canciones tenían un efecto depresivo sobre nosotros; cuanto más las tocábamos, más desanimados y desolados estábamos.»
>
> ROBERT SMITH

A la mañana siguiente, Tolhurst cogió un avión de regreso a casa, pero su hermano le esperaba en el aeropuerto de Gatwick para decirle que su madre había muerto durante la noche. El baterista, destrozado, fue a la funeraria a darle el último adiós a su querida madre y después cogió un vuelo para regresar a la gira de The Cure y dejar su desesperación en la batería.

«Tocaba las canciones con una feroz intensidad», explicó en *Cured*, «golpeando como un loco y reprochándole a Dios que permitiese que me sucediese esto con lo joven que era... estaba seguro de que no podría dormir [después de la actuación] sin tomar grandes cantidades de alcohol y drogas».

Antes de la muerte de su madre, Lol Tolhurst ya se había lanzado por la senda del alcoholismo. Ahora que ella ya no estaba, los frenos ya no funcionaban, algo muy desafortunado, pues The Cure estaba a punto de entrar en su período de Sodoma y Gomorra.

DERECHA - Sentimiento oceánico en directo en Brighton, en 1982.

BUNNIK

«¡NO TOQUÉIS LAS LATAS!»

PÁGINA ANTERIOR - The Cure se embarca en otra larga y oscura noche del alma, 1982.
INFERIOR - Robert Smith y Steve Severin maquinan el futuro.

The Cure, con Lol Tolhurst lamiéndose las heridas por la muerte de su madre y con toda la banda consumiendo cantidades ingentes de polvos, pastillas y alcohol, trasplantó las oscuras delicias de la Picture Tour a Norteamérica. No fue una gira fácil.

Las dos actuaciones en el Ritz de Nueva York se vieron frustradas debido a que Smith y Gallup se tomaron varios Quaaludes en el camerino antes del concierto. En la otra costa, en Los Ángeles, Smith estaba tan horrorizado con los efusivos aduladores después de una actuación en Whisky a Go Go que se fue asqueado a la habitación del hotel.

«La verdad es que no recuerdo mucho de esos conciertos», le contaría a Steve Sutherland en «Ten Imaginary Years». «Necesitaba un descanso; demasiado de todo, ni un respiro».

Si los encargados de organizar la trayectoria de The Cure se dieron cuenta del delicado equilibrio de la banda, no hicieron nada por ayudarles. Tras un mes en Australia y Nueva Zelanda —con toda la presión mediática y la fama que conlleva ser un grupo en las listas de éxito— la gira regresó a Gran Bretaña para una última fase.

Este último acto de la gira Picture tenia unos interesantes teloneros: 13:13, un proyecto de *art-rock* punk con la poetisa punk neoyorquina Lydia Lunch y el bajista de The Banshees y confidente de Smith, Steve Severin. Estas actuaciones le dieron a Smith y a Severin la oportunidad de consolidar los lazos de amistad que les unían.

Incluso la provocadora y superdecadente Lunch se sorprendió del ambiente lúgubre entre los componentes de la gira. «Era uno de los períodos más oscuros de todas las personas que conocía», recordaba hablando con Jeff Apter en *Never Enough* e identificaba los tres ingredientes: «Consumo de drogas, depresión y alcohol».

> **“La verdad es que no recuerdo mucho de esos conciertos. Necesitaba un descanso; demasiado de todo, ni un respiro.”**
>
> ROBERT SMITH

LISTA DE LECTURAS

Charlotte Sometimes
Esta canción está basada en uno de los libros preferidos de Robert Smith: una novela de 1969 titulada *Charlotte Sometimes* de la escritora británica Penelope Farmer. El personaje que da título a la novela se ve transportado en el tiempo cuarenta años atrás. Smith compuso esta canción utilizando los mismos temas de cambio de tiempo y desplazamiento.

El título de la cara B del *single*, «Splintered in Her Head», también es una frase de la novela de Farmer. The Cure lanzaría más adelante otra canción basada en la novela: «The Empty World», del álbum *The Top*.

SUPERIOR - Las portadas de «Happily Ever After» y «Charlotte Sometimes».
PÁGINA SIGUIENTE - Lydia Lunch posando en Nueva York.

No obstante, Lunch reconoció de forma reveladora que dentro del monstruo del *rock 'n' roll* que era Robert Smith de gira, merodeaba el muchacho educado de clase media que siempre sería: «Siempre me pareció muy dulce, sensible y tímido».

El cóctel ambulante de consumo de drogas, depresión y alcohol por el que se caracterizó la gira Picture Tour de The Cure terminó en el Hammersmith Odeon en Londres el 3 de diciembre de 1981. Los miembros de la banda estaban agotados y con los nervios de punta: después de un año de estar juntos todo el tiempo, su relación se había convertido en claustrofóbica y tóxica.

Pero estaba a punto de empeorar mucho más.

Robert Smith llevaba tiempo pensando en trabajar con un nuevo productor en lugar de continuar con Mike Hedges, un hombre de confianza. Este pensamiento cobró más importancia cuando «Charlotte Sometimes», el anterior *single* que había publicado la banda, no logró entrar en el Top 40 del Reino Unido.

Estaba claro que Hedges también había pensado lo mismo: cuando The Cure fueron a grabar su cuarto álbum en enero de 1982, él ya

“Siempre me pareció muy dulce, sensible y tímido.”

LYDIA LUNCH

se había comprometido para producir *A Kiss in the Dreamhouse* de The Banshees. Parry ayudó a The Cure a seleccionar un sustituto.

Uno de los aspirantes fue el productor de Kraftwerk Conny Plank, sin embargo, la banda se decidió por alguien con mucha menos experiencia.

Phil Thornalley era un ingeniero de sonido de veintidós años que había trabajado con Parry en el álbum de The Jam *All Mod Cons* antes de trabajar como aprendiz en RAK Studios de Mickie Most. Era más joven que Smith pero los dos congeniaron en cuanto se conocieron y le contrataron para producir el álbum que se titularía *Pornography*.

Thornalley, que había trabajado antes principalmente con músicos pop de las listas de éxitos, no estaba muy familiarizado con el *art-rock* inquietante y melodramático de The Cure. Pero lo que más le sorprendió es que el presupuesto de grabación para las sesiones en RAK incluía una partida de 1600 libras para cocaína.

«Hubo muchas drogas en *Pornography*». Reconoció Smith años más tarde, antes de repetir la que con los años se convertiría en una típica cita en las entrevistas: «La verdad es que apenas me acuerdo de la grabación del álbum».

A Thornalley y al ingeniero de sonido del estudio Mike Nocito no les habían «repartido una mano» completamente imposible. The Cure se presentaron en el estudio todos los días. Tres años de giras sin parar significaba que habían ensayado mucho y lo hacían muy bien. Además no escaseaban los propósitos serios.

Psicológicamente Robert Smith se encontraba en un lugar oscuro, quebradizo e intenso, pero decidió crear una obra seria. Disgustado porque algunas críticas anteriores habían descalificado al grupo como frívolos diletantes, quería demostrar que The Cure tenía intensidad, alma y profundidad. No habría muchas risas.

«Queríamos hacer un álbum intenso por excelencia», explicaría Tolhurst posteriormente. «No recuerdo porqué, pero lo hicimos».

Parece que los miembros de The Cure habían tácitamente decidido que esto solo lo podrían lograr aumentado su prodigioso consumo de narcóticos. La banda se reunía sobre las ocho de la tarde en RAK y preparaban rayas de coca en las mesas de mezclas. Cogían sus guitarras sobre medianoche y trabajaban hasta la hora del desayuno.

«Haciendo *Pornography* era un poco como *Groundhog Day*», explicó Smith a la revista musical británica *Mojo* en 2003. «Sabías lo que ibas a hacer todo el tiempo, qué drogas ibas a tomar. Sabíamos como nos íbamos a sentir a la mañana siguiente. Llegó a ser un tipo de rutina extraña».

Esta claustrofobia y esta sensación de desconexión de la realidad se agravó por el hecho de que The Cure también dormían juntos todas las noches, o más bien todos los amaneceres. Como no estaban dispuestos a viajar todos los días hasta su casa, organizaron un campamento temporal en las oficinas de la cercana Fiction Records.

IZQUIERDA - ¿Educado chico de clase media o monstruo del *rock*?

> “Queríamos hacer un álbum intenso por excelencia. No recuerdo por qué, pero lo hicimos.”
>
> LOL TOLHURST

Smith se preparó una tienda de campaña improvisada clavando una manta en la pared de la recepción y estirándola por encima de un sofá que había cerca. Tolhurst, Gallup y el *roadie* Gary Biddles, dormían en el suelo de un almacén.

«Invadimos Fiction y no dejábamos que nadie pasase por la puerta», divulgó Smith en *Ten Imaginary Years*. «Yo tenia pequeñas cosas que me encontraba por la calle y que me llevaba a mi nido. Realmente se nos fue de las manos».

En el estudio las cosas iban saliendo... más o menos. Smith, determinado y obsesionado, se encontraba en un modo superserio. Las canciones que surgieron tenían acordes de guitarra intrincados y angustiados; agresivos golpes del bajo; una batería atormentada, repetitiva. A veces, se desmoronaban bajo su propio peso y por el aislamiento producido por la coca.

Smith ni siquiera consideraba añadir las letras hasta que no estaba completamente colocado y el sol empezaba a salir en la calle, en el Soho. En esa época estaba obsesionado con libros sobre la locura y los avances de la psiquiatría, sus letras reflejaban ampliamente lo que posteriormente resumiría con alegría como «salud mental en general».

«La verdad es que se podía palpar la tensión en el estudio», comentaría Smith años más tarde, recordando. «De una manera extraña, fue divertido grabarlo, porque todo iba fatal».

Probablemente Tolhurst no se rio mucho. El baterista de The Cure se había convertido poco a poco en el chivo expiatorio de la banda y en el blanco de sus bromas y, durante la grabación de *Pornography*, las bromas se hicieron más intensas y mordaces.

Smith, que describió la desafortunada contribución del baterista como «más o menos tan útil como intentar dar palmadas en la es-

> «Construimos una montaña de latas vacías en una esquina. Un gigante montón de desechos. Solo crecía y crecía.»
>
> ROBERT SMITH

palda», contó que Gallup y él se veían obligados a quedarse al lado de la batería de Tolhurst, empuñando las baquetas y tocando con él «porque estaba físicamente demasiado débil para tocar».

Smith también se encontró que cada vez estaba más en desacuerdo con Gallup, su mejor amigo y colega. Le desagradaba el hecho de que el bajista, una persona más tranquila, no parecía que tuviese la misma intensidad visceral que él durante la grabación de *Pornography* y que sencillamente le gustase grabar lo que le tocaba y después relajarse.

El nervioso Smith enseguida encontró fallos en la forma de tocar de su amigo. Cuando no cometía ningún fallo, se los inventaba.

No obstante, y pese a que durante la grabación del álbum la relación entre los tres se estaba deteriorando, siguieron con unas juergas impresionantes. Su afición por el producto boliviano ilegal exportado más popular no hizo disminuir el amor de la banda por su arraigada actividad preferida: beber.

El grupo llegó a un acuerdo con un local del West End durante la grabación de *Pornography*. Cada noche, al principio de la sesión, un par de fans de The Cure que trabajaban como dependientes en la tienda les llevaban al estudio un verdadero lago de cerveza.

Con su ya formidable sed aumentada por la cocaína, la banda se bebía sin esfuerzo lo que les habían traído y con las latas vacías construían una montaña en una esquina de la sala. Hacia el final de las tres semanas de grabación de *Pornography*, la montaña llegó hasta el techo del estudio. Le habían dado instrucciones al servicio de limpieza para que no la quitaran.

«Construimos una montaña de latas vacías en una esquina», recordaría Smith años más tarde. «Un gigantesco montón de desechos. Solo crecía y crecía».

«Era muy difícil explicarle todos los días al servicio de limpieza: "¡No toquéis las latas!"», le confesó Thornalley a Jeff Apter en *Never Enough*. «El olor era horrible».

Como a Smith le gustaba variar los estupefacientes que se tomaba en el estudio, una noche, cuando la cocaína ya se había terminado, se tomó un ácido. No sabía exactamente lo fuerte que era. Después de pasar la noche en el estudio sin parar de reír por tonterías, se escondió durante dos días enteros en su sofá-tienda de campaña en Fiction.

Chris Parry, propietario de Fiction y mánager de la banda, solía pasar por los RAK Studios sobre las diez de las noche para ver cómo iban las cosas, pero no se quedaba mucho rato. Como no utilizaba los métodos del grupo para fomentar la creatividad, *Pornography* le parecía decadente y aburrido.

Respetuoso con Smith y con la libertad creativa de The Cure, los dejaba a su aire, pero sabía que era fundamental un *single* que tuviese éxito para presentar y promocionar el álbum. Decidió que la mejor opción sería la canción «The Hanging Garden» y le pidió a Thornalley que la puliese para la radio.

El joven productor hizo lo mejor que pudo pero, al fin y al cabo, intentaba trabajar con una canción que Smith había compuesto después de una noche de drogas paseándose desnudo por el jardín de sus padres buscando gatos. Smith dijo que se trataba de «la pureza y el odio de los animales copulando... ver a alguien follándose a un mono no me escandaliza especialmente».

A sus conmocionados protagonistas debió de parecerles más tiempo, pero la grabación de *Pornography* —incluidos los maratones de cocaína, el Everest de latas, las tensiones entre los miembros de la banda, las acampadas en la discográfica y todo lo demás— se terminó en tres semanas. Sorprendentemente, la grabación se realizó dentro del presupuesto.

Ahora bien, ¿qué disco había surgido de este tortuoso proceso de gestación? ¿Qué nuevo infierno? En realidad, solo la mitad de la pregunta es correcta: *Pornography* era ciertamente infernal, ¿pero nuevo? No, era más de lo mismo.

Desde los primeros palpitantes compases de la primera canción, «One Hundred Years», era evidente que Thornalley era capaz de conseguir de The Cure vibrantes texturas musicales nuevas y distintas... si le dejaban. El ritmo de la guitarra era nervioso y pegadizo... y entonces Smith abría la boca y soltaba la primera frase que, como táctica introductoria de The Cure, estaba más allá de la parodia o de la sátira: «¡No importa si todos morimos!». El tono estaba establecido. *Pornography* era otro descenso precipitado y sin frenos al abismo psicológico.

DERECHA - The Cure intentan mantenerse derechos, 1982.

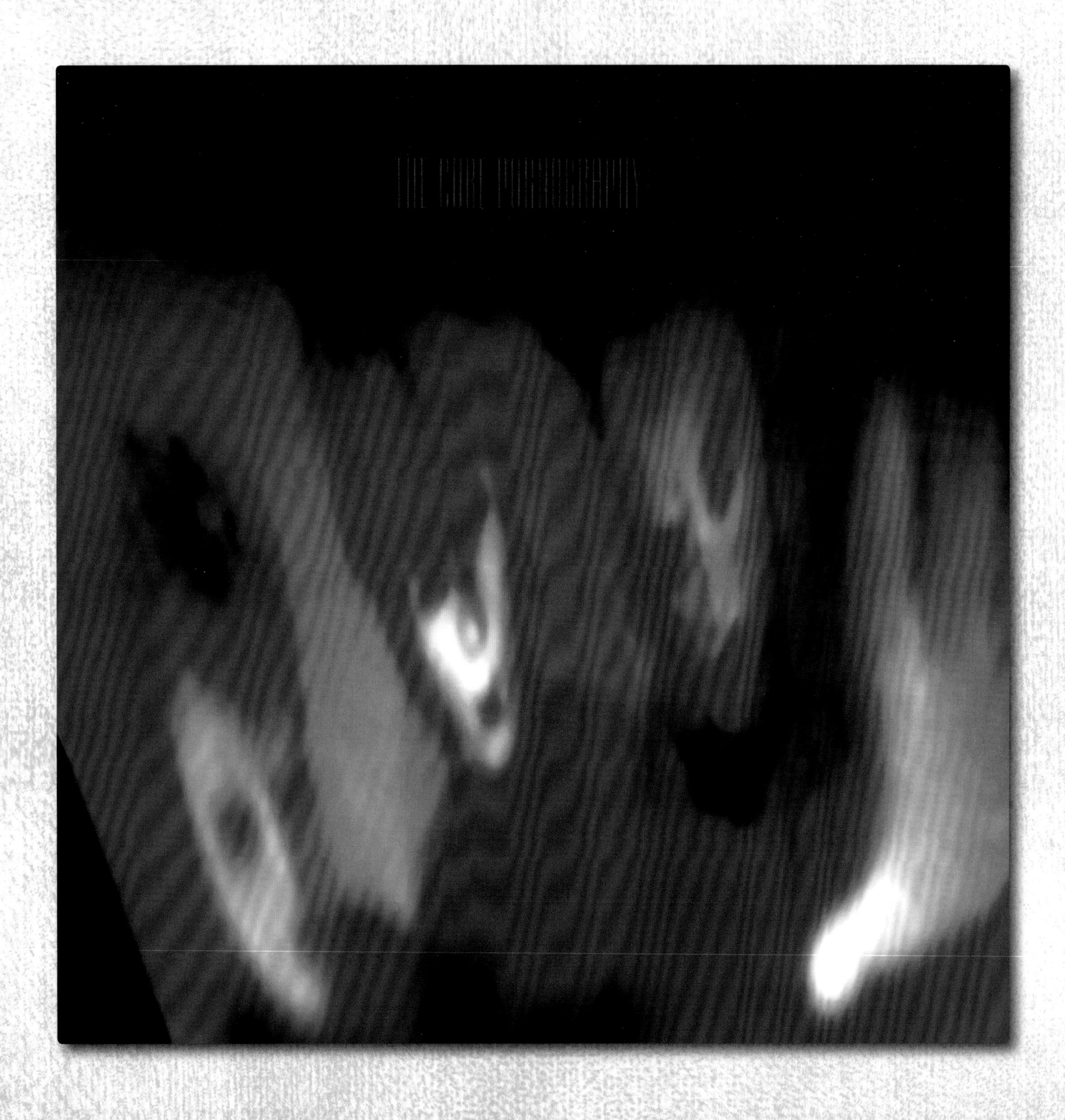
THE CURE PORNOGRAPHY

PORNOGRAPHY

"Aquí tenemos un álbum compuesto desde una marcada desesperación, una pieza de artesanía de sonido expresivo, un logro muy grande y desgarrador."

DAVE HILL, *NME*

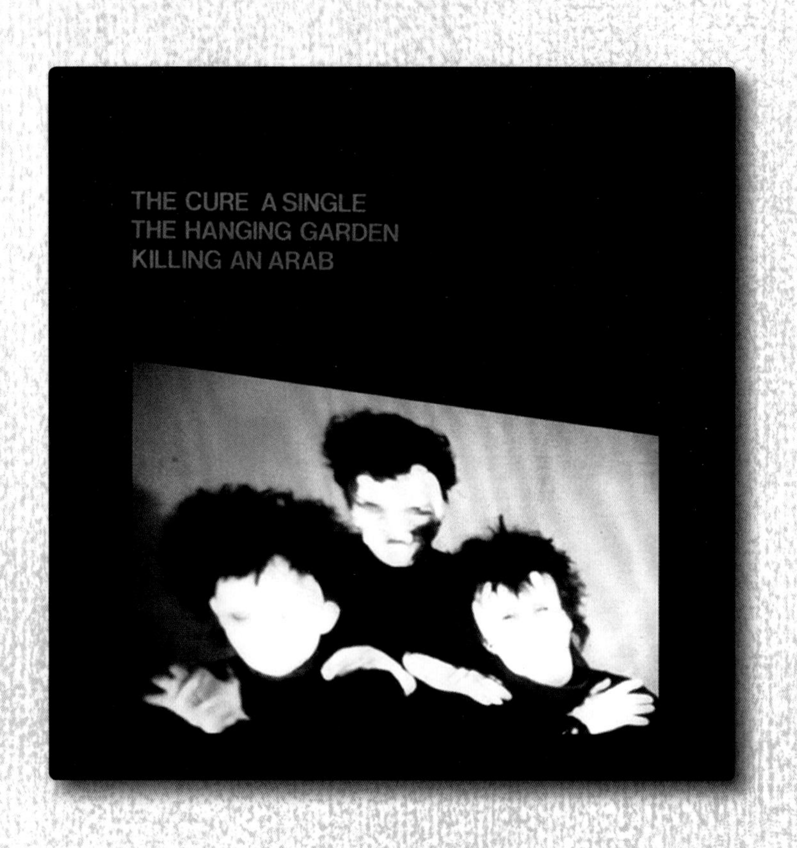

LISTA DE CANCIONES

CARA 1

One Hundred Years
A Short Term Effect
The Hanging Garden
Siamese Twins

CARA 2

The Figurehead
A Strange Day
Cold
Pornography

Fecha de lanzamiento 4 de mayo de 1982

Grabado en RAK Studios, Londres (Inglaterra)

Producción
Phil Thornalley y The Cure.
Ingeniero de sonido: Mike Nocito

Músicos
Robert Smith: voz, guitarra, teclados («One Hundred Years», «The Hanging Garden», «Cold», «Pornography«), chelo («Cold»)
Lol Tolhurst: batería, teclados («One Hundred Years»)
Simon Gallup: bajo, teclados («A Strange Day», «Cold», «Pornography»)

Diseño de la carátula
Ben Kelly: diseño
Michael Kostiff: fotografía

Sello discográfico Fiction FIXD 7, 2383 639

Máxima posición en listas alcanzada tras su lanzamiento
Reino Unido 8, Australia 39, Francia 81, Países Bajos 17, Nueva Zelanda 9

Notas
Todas las canciones compuestas por The Cure. En 2002, veinte años después del lanzamiento de *Pornography*, The Cure tocó el álbum completo en directo, junto con *Disintegration* y *Bloodflowers*, como parte de los conciertos denominados Trilogy.

> Una mortífera unidad que lleva a un ambiente lleno de texturas.
>
> DAVE HILL, *NME*

La introducción al menos aligeraba la hipnótica y astutamente hábil guitarra de Smith, pero no se puede decir lo mismo de «A Short Term Effect», el siguiente tema. Estaba claro que el sonido de la batería de Tolhurst era primitivo y el bajo de Gallup un mero garabato decorativo: todo era Smith, rezumando una siniestra irascibilidad, con su voz más nasal y nihilista.

«The Hanging Garden» fue la canción del álbum que Parry consideró que tenía mas posibilidades de entrar en las listas de éxitos, pero dentro del contexto de *Pornography* era más bien como decir que en el país de los ciegos el tuerto es rey. Smith al menos logró salir del aletargamiento vocal para sonar con mucha más energía en el estribillo «cae, cae, cae en los muros»; pero seguía siendo una canción muy oscura.

Y continuaba. «Siamese Twins» era como una caminata larga y cansada, una canción de ambiente negro, interrumpida por el periódico alarido de Smith: «¿Es siempre así?». «The Figurehead» tenía un ritmo de círculos decrecientes alrededor de un insoluble acertijo sobre la banalidad de la existencia que llega a una predecible conclusión: «No significas nada».

LISTA DE LECTURAS

Pornography
Inspirado en *El paraíso perdido* de John Milton (1667). «La idea de ser una víctima seguía ahí y era cada vez más insoportable. Había decidido luchar contra un mundo que odiaba».

El álbum entero sonaba exactamente como lo que era: una banda de posadolescentes afectados y tímidos, motivados por la insatisfacción y por montañas de cocaína que pretendían, como el Prufrock de T. S. Elliot, hacer rodar el mundo en una pregunta, pero sin tener la experiencia de vida necesaria para llevarlo a cabo.

La elegíaca «Cold», un canción relativamente sinfónica dominada por los teclados, era todo lo que sugería su título, y el álbum terminaba con la canción que le da título introducida por un «sonido encontrado», una corta y distorsionada muestra de una intervención televisiva de Germaine Greer, intelectual y feminista, hablando sobre la pornografía —la utilización de «sonidos encontrados» era una práctica de rigor entre las bandas *left field*—.

El título de la canción, y del álbum, cra apropiado: muy parecido a lo que es el comercio sexual, The Cure se habían adentrado en *Pornography* motivados por una ardiente y retorcida pasión, pero habían producido una transacción fría y mecánica. Sin embargo, también era extrañamente adictiva. Sabías que ellos —y tu— volverían por más.

The Cure señalaron el final de las sesiones de grabación más tortuosas y angustiosas de su vida con una bacanal en los RAK Studios y exhibiendo su montaña de latas de cerveza vacías. Los músicos de la banda de The Banshees asistieron a la madre de todas las fiestas, igual que The Associates y Mike Hedges. También apareció el hermano de Simon, Ric Gallup, que les enseñó *Carnage Visors*.

«Fue bastante excesivo», diría Thornalley. Era sin duda el broche final que merecía este álbum brutalmente austero, paradójicamente grabado en una total decadencia.

Cuando se publicó *Pornography*, la mayoría de críticos lo miró con recelo. Dave Hill de *NME* ofreció una valoración típica:

> «Aquí tenemos un álbum compuesto desde una marcada desesperación, una pieza de artesanía de sonido expresivo, un logro muy grande y enormemente desgarrador».
>
> «La batería, las guitarras, la voz y el estilo de la producción están escrupulosamente fusionados en una mortífera unidad que lleva a un ambiente lleno de texturas... The Cure han reunido los sentimientos más puros endémicos de su edad y los han presentado en su forma real y más desagradable».

No obstante, pese a admirar a regañadientes la magnitud y la dificultad de este masoquista logro, Hill concluía que con *Pornography* la banda viraba hasta convertirse «en los pesados jóvenes sensibles y dados al autoanálisis que siempre he temido que fueran The Cure».

Algunos críticos consideraron que mientras grababan *Pornography* la banda había intentado imitar el apocalíptico pesimismo del final del mundo de Joy Division. Pero Smith negó esta afirmación y citó una influencia muy distinta: «El primer álbum de The Psychedelic Furs que mostraba una densidad de sonido muy potente».

Incluso aunque los críticos encontrasen que *Pornography* era tan pesimista que hasta resultaba desagradable, para el cada vez mayor ejército de aficionados a The Cure, prevalecía la opinión contraria. Cuanto más profundizasen en la desesperación emocional, cuanto más siniestro el ambiente, más les gustaba. *Pornography* alcanzó el número ocho en las listas británicas de los mejores álbumes, la posición más alta de la banda hasta la fecha.

The Cure casi había conseguido su deseado objetivo de componer «el álbum más intenso», de evocar paisajes de sonido que no pueden ser más negros, pero ¿a qué coste? Los músicos estaban emocional y psicológicamente agotados, físicamente destrozados a causa de los excesos con el alcohol y las drogas, divididos y resentidos y aparentemente distanciados para siempre.

Así que, como es natural, hicieron la única cosa que podían hacer en esas circunstancias: se embarcaron juntos en otra autodestructiva gira mundial.

En un principio, le habían pedido a Porl Thompson que pintase una imagen para la portada de *Pornography*. Su amigo y antiguo colega no la había presentado a tiempo, así que tuvieron que utilizar una foto distorsionada del grupo.

Pero les seguía gustando el sorprendente cuadro de animales cayendo del cielo de Thompson, de modo que decidieron ampliar el cuadro y utilizarlo como fondo para la gira. Era una apropiada metáfora de las corruptas escenas que iban a protagonizar en la gira.

Dado su apropiado y premonitorio nombre Fourteen Explicit Moments, la gira fue testigo de cómo The Cure continuaban descendiendo a una gran velocidad por el sendero de los excesos, de alcohol y de drogas que recorrían desde hacía ya unos tres años. Aunque al menos, en esta parte de su desbocado viaje, resultaban más interesantes.

Desde que había decidido poner electrodomésticos en la portada de *Three Imaginary Boys*, Chris Parry se quejaba de que parecía que habían puesto a los músicos juntos por casualidad, que el grupo no tenía una imagen reconocible. La queja de su mánager estaba a punto de convertirse en algo tan superfluo que resulta extraño pensar que alguna vez existió.

Inspirados, según han sugerido algunos, en el papel protagonista del actor Jack Nance en *Eraserhead* (*Cabeza borradora*), la surrealista y retorcida película de miedo de 1977 dirigida por David Lynch, Smith, Gallup y Tolhurst se aficionaron a utilizar montones de laca para ver hasta que altura podían cardar sus melenas.

Además de esta extravagancia peluquera, al trío también le dio por embadurnarse la cara con pintalabios rojo y rímel muy negro antes de salir al escenario.

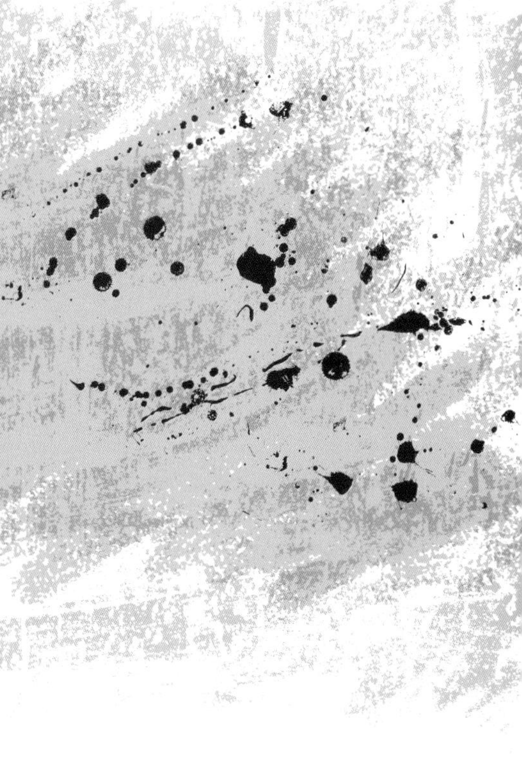

IZQUIERDA - Lol Tolhurst, Robert Smith y Simon Gallup, en 1982.

Evidentemente, The Cure no estaban solos en esta afectación visual. A principios de los ochenta, la escena *new wave* británica estaba plagada de artistas a los que les gustaban los rostros pálidos y blancos como fantasmas y el pelo cardado. Siouxsie Sioux y el cantante de Bauhaus Peter Murphy destacaban entre ellos.

La prensa musical británica alegremente denominó a estos artistas «grupos góticos», una denominación amplia, que abarcaba mucho y que los grupos en cuestión en general despreciaban y protestaban. Pero una vez que te colocaban esta etiqueta era casi imposible quitártela. Proyectaba, apropiadamente, una sombra inquietante.

No era una etiqueta que a Robert Smith le entusiasmase, como me dijo en 1996 cuando le entrevisté para la efímera revista musical británica *Blah, Blah, Blah* financiada por MTV.

«Gran parte de lo que hacemos es muy alegre», sostuvo con cierta insinceridad. «La idea más falsa sobre The Cure es que somos una banda gótica. Cuando empezábamos nos llamaban "impermeables", aunque ya he olvidado exactamente a qué se referían».

«Odio la forma en que desechan cada álbum como más de lo mismo. Mezclamos un montón de sonidos y de tipos de música, pero siempre se resume todo en el pelo, el pintalabios y el pesimismo».

A cualquiera que se hubiese tropezado de pronto con la gira Fourteen Explicit Moments, le habría resultado difícil cuestionar la idea de que The Cure era un grupo gótico. Para entonces la banda había convertido el hecho de no complacer al público en una forma de arte.

Con *Seventeen Seconds*, *Faith* y *Pornography* para hacerse una idea, The Cure no andaban precisamente cortos de cantos fúnebres, tristes y sombríos, pero no veían la necesidad de aligerar el suplicio con temas más ligeros y desenfadados. «Boys Don´t Cry» no se incluyó en el *set list* de la gira y «Killing An Arab» y «10:15 Saturday Night» parecían inclusiones simbólicas hechas a regañadientes.

Robert Smith hacía mucho tiempo que perseguía una extraña exigencia de pureza artística enraizada en un sufrimiento total e inflexible, pero incluso para él la gira Fourteen Explicit Moments fue implacable. Los fans de The Cure seguían asistiendo a sus conciertos y aplaudiéndolos, pero, aparte de esta devota secta, ¿quién iba a querer asistir a un espectáculo tan árido y enervante?

Steve Sutherland, que posteriormente se convertiría en defensor de The Cure en *Melody Maker* y que intimó lo suficiente con ellos como para escribir la temprana biografía oficial *Ten Imaginary Years*, vio la gira que hicieron después de grabar *Pornography* y quedó horrorizado.

«Pocas veces tres jóvenes en busca de un puñado de evocaciones sin rumbo han logrado tan poco y con tanto estilo y salero», escribió. «The Cure, vaya chiste. Es más bien un síntoma».

Sin embargo, adicionalmente al descorazonador espectáculo que The Cure ofrecía a los desconcertados y leales fans, la gira tuvo una profunda y problemática línea de falla de terribles consecuencias: Robert Smith había empezado a despreciar a Simon Gallup.

> **“Estaba cargado de ira. Sentía que no había conseguido todo lo que quería. Pensaba que todo iba a terminar.”**
>
> ROBERT SMITH

«Estaba cargado de ira [durante la gira Fourteen Explicit Moments]», confesaría años después. «Sentía que no había conseguido todo lo que quería. Pensaba que todo iba a terminar. Odiaba a Simon, que era mi amigo de toda la vida, más que a nadie en el mundo. Todo era un completo desastre».

¿Por qué Smith se había vuelto contra su confidente más cercano de manera tan virulenta? Es probable que hubiese un cierto resentimiento por el carácter despreocupado de Gallup comparado con su propia inseguridad y timidez. Puede que estuviese celoso de la creciente popularidad del bajista entre los fans del grupo, algo muy comprensible, dado que Gallup era el único miembro de la banda dispuesto a considerar la idea de intentar entretener al público.

No obstante, la causa más probable sea las ingentes cantidades de cocaína que seguían esnifando. En realidad, es improbable que Smith hubiese podido explicar exactamente porque de repente odiaba a Gallup. Solo sabía que era así.

Mientras la tóxica gira renqueaba por Europa, el grupo se dividió en dos bandos: Smith y su leal y fiel compañero, Tolhurst, por un lado, y Gallup y todo el personal de la gira aficionado a las juergas mayúsculas, liderado por Gary Biddles, por el otro. La división tenía que alcanzar un punto crítico.

Y lo alcanzó, de forma explosiva, en Estrasburgo el 27 de mayo.

Tras una actuación en el Hall Tivoli, los miembros de la banda se fueron a tomar una copa por separado en un club nocturno de la

DERECHA - Artista con peinado de joven airado. Robert Smith, 1982.

> "Cuando llegamos a Londres, me despedí de todos y me pregunté si volvería a verlos de nuevo."
>
> LOL TOLHURST

ciudad. Hubo un malentendido sobre quién iba a pagar las consumiciones. Gallup, borracho, decidió resolver la disputa por las buenas, se fue a buscar al cantante y le dio un puñetazo en la cara.

Smith devolvió el puñetazo a Gallup y empezaron a pelearse los dos. Tolhurst, como era habitual en él, no se enteró de lo que pasaba y cuando le informaron rehusó meterse. «Tenía la sensación, correcta o no, de que mi intervención acabaría con los dos descargando su frustración en mí», reconoció en *Cured*, dándose perfecta cuenta de su cada vez mayor papel como chivo expiatorio dentro del grupo.

Tolhurst no supo de la barbaridad que había sucedido hasta la mañana siguiente, cuando el *tour manager* le telefoneó y le informó que Smith y Gallup, por separado, habían abandonado la gira. Su compañeros de grupo ya estaban de regreso a Crawley.

Irónicamente, fueron la conformidad y la compostura de la clase media británica contra las que Smith se había rebelado cuando formó The Cure las que ahora salvarían a la banda. Cuando regresó a la casa de su familia, su padre le echó a cajas destempladas y le mandó terminar la gira.

Alex Smith, un hombre de valores anticuados, dijo a su hijo que tenía que cumplir con los conciertos por los que la gente había pagado. El cantante llamó al *tour manager* para decirle que regresaba para el siguiente concierto en Montreux. Gallup hizo lo mismo.

The Cure terminaron los conciertos europeos de la gira Fourteen Explicit Moments juntos en apariencia, pero terminalmente divididos en espíritu. El horrible final tuvo lugar en Bruselas el 11 de junio, en el local Ancienne Belgique.

La banda acostumbraba a tocar como bis un tema sin estructura, improvisado, llamado «Forever» y lo tocaron de una manera que reflejaba cómo se sentían en ese momento. En Bruselas, Smith insistió en tocar la batería, así que Gallup cogió su guitarra y Tolhurst el bajo.

Si al público de Bruselas le desconcertó todo esto, todavía quedó más perplejo cuando Gary Biddles, uno de los encargados de transportar el equipo y colega de Gallup, apareció tambaleándose en el escenario, agarró el micrófono y gritó unas palabras que han pasado a la historia de The Cure: «¡Robert Smith es un gilipollas!».

Biddles profirió unos cuantos insultos más a Smith y a Tolhurst. Smith le tiró las baquetas a la cabeza. Cuando el grupo salió del escenario a trompicones al acabar la canción, daba la sensación de que habían llegado al límite.

A lo largo de tres años, habían compuesto tres de los álbumes más desesperados y oscuros de la música moderna, habían salido de gira varias veces, habían tomado cantidades ingentes de drogas y habían bebido por Inglaterra entera. Casi les había matado.

Tuvieron que pasar muchos años para que Robert Smith reconociese plenamente todo el daño que se habían hecho y admitiese de qué forma tan masoquista y con qué espíritu de contradicción se había aferrado durante tantísimo tiempo a la idea alienada y casi de adolescente del mundo en la que fundamentaron aquellos tres álbumes de The Cure.

«Solo ha habido una época de The Cure en la que no hubo humor y esa fue más o menos con *Faith* y *Pornography*», me contó en 1996. «Sencillamente éramos así. Había una sensación de desespero, de enfado y de frustración. Me volví loco».

Este Robert Smith mayor y más sabio parecía preguntarse cómo The Cure había logrado crear no uno sino tres álbumes siniestros y oscuros que tenían el mismo mensaje: la vida es inútil.

«¿Para qué te molestas en seguir comunicando una sensación de inutilidad?», me preguntó de forma retórica. «Es una paradoja: nada importa, entonces, ¿para qué grabar un disco sobre ello? ¿Y después otro? Venga ya. Se hace, pero al final todo resulta demasiado trasnochado».

Sin embargo, esta sabiduría *a posteriori* sería para el futuro. En 1982, The Cure, imitando la trayectoria emocional de su música, se estaban acercando al final de una larga y descendente espiral. El último concierto de la gira en Bruselas fue su punto más bajo. También parecía muy probable que fuese su final.

«Al día siguiente [después del concierto de Bruselas] regresamos todos a Inglaterra en el ferri», explicaba Tolhurst en *Cured*. «No nos hablamos en todo el viaje, pero no había nada que decir. Era el final de la gira y posiblemente de The Cure».

«Cuando llegamos a Londres, me despedí de todos y me pregunté si volvería a verlos de nuevo».

IZQUIERDA - Tolhurst temía que la pelea de Bruselas acabase con The Cure.

THE CURE SE INCLINA POR EL POP

THE CURE
Chris Parry

Otras veces que Robert Smith se había sentido cansado y agotado a causa de The Cure, su respuesta siempre había sido aumentar la locura y decir que sí a otro exceso. Esta vez, después de terminar la gira Fourteen Explicit Moments, fue distinto. Esta vez necesitaba un descanso.

Una de las razones para este descanso era que el grupo estaba en un estado realmente lamentable. Smith y Simon Gallup se habían distanciado completamente; el desafortunado Lol Tolhurst estaba cada vez más hundido en un mar de alcohol. A todos los efectos, The Cure ya no existía.

Smith se dedicó a su novia Mary Poole; se fueron de *camping* a Gales. No tenía ni idea qué se encontraría a su regreso.

Viendo que el grupo se disolvía delante de sus ojos, Chris Parry lanzó el *single* «The Hanging Garden» en julio. Entró en el Top 40, llegando a alcanzar el puesto treinta y cuatro. No sorprende que no se lanzasen más *singles* de *Pornography*.

Parry sabía que este era un momento decisivo para The Cure. La banda se había fracturado y *Pornography*, un álbum deprimente, representaba un callejón sin salida en términos de su inmediata progresión: habían tocado el fondo del barril psicológico, habían sondeado las profundidades emocionales subterráneas, ¿dónde les quedaba ir?

La respuesta era sencilla. La única posibilidad era ir hacia arriba.

Hacía mucho tiempo que Parry sospechaba que debajo de la sofocante capa de desespero existencial de The Cure, de sus pretensiones *art-rock*, se encontraba una gran banda de pop deseando salir a la luz. Puede que en ese momento Robert Smith prefiriese ampulosos lamentos descorazonadores, pero tenía un bendito don para la armonía y la melodía —cuando lo dejaba aflorar—.

«Boys Don´t Cry» de *Three Imaginary Boys* y «A Forest» de *Seventeen Seconds*, dos temas tremendamente subestimados, habían demostrado que Smith, cuando quería, era muy capaz de crear magia pop: de componer canciones pop que entrasen en las listas de éxitos. La enorme dificultad radicaba en convencerlo de que soltase su agobiante corsé de amargura y que lo hiciera más a menudo.

Sin embargo, cuando al fin Parry se decidió a plantearle la cuestión y a proponerle el reto de componer un *single* de éxito, al menos por una vez, la conversación fue sorprendentemente bien, porque por casualidad la idea cuadraba con los planes del cantante para la banda.

Al hacer *Pornography*, Smith se había dado cuenta de que su sombrío nihilismo podría suponer la muerte de The Cure. A veces, daba la sensación de que la idea no le desagradaba. «Tenía todas las intenciones de dejarlo», admitiría más tarde. «Solo quería hacer un álbum que mandase todo a la mierda, y después The Cure dejaría de tocar».

Lo había conseguido. Así que ahora que había acabado con esa versión de The Cure, que su espíritu estaba aplastado y sus miembros se habían

PÁGINA ANTERIOR - El peinado, la imagen y el mohín de Robert Smith.
IZQUIERDA - The Cure en 1982 fotografiados con Chris Parry, director de Fiction Records. Hay uno que está disfrutando de esta foto más que los otros tres.

> Decidí hacer un tipo de música que destruyese todo el mito de The Cure.
>
> ROBERT SMITH

dispersado, ¿por qué no probar a ver si haciendo algo totalmente diferente podría levantarse como el ave fénix de sus cenizas?

«Decidí hacer un tipo de música que destruyese todo el mito de The Cure», confesó a *Uncut* veinte años más tarde, «y asombrar al público que nos rodeaba».

El primer problema, evidentemente, es que era imposible que pudiese aceptar enseguida que Simon Gallup volviese al redil después de la pelea a puñetazos en Estrasburgo y del follón en el escenario en Bruselas. Efectivamente, The Cure ahora eran solo Smith y Tolhurst, y este último había demostrado ser un baterista limitado.

La solución inmediata de Smith fue un cambio a medias. Le dijo a Tolhurst que quería que tocase los teclados en lugar de la batería. Quién sabe, quizá se le darían mejor.

«No me opuse, pues nunca sentí que tuviese un único papel en The Cure», explicó en *Cured* el siempre animoso Tolhurst. «Si eso significaba tener una nueva función y aprender un instrumento completamente nuevo, pues adelante».

Mientras Tolhurst lidiaba con las instrucciones de un Synclavier de New England Digital, Smith reclutó para una breve sesión en el estudio londinense de Island Records a Steve Goulding, que había sido baterista de Elvis Costello y de Wreckless Eric. Y se puso a componer un *single* de pop ligero y desechable.

El tema se titulaba «Let´s Go To Bed».

«Pensé que era una tontería», diría Smith años después. «Es una porquería. Es un chiste. Todas las canciones pop básicamente dicen: "Por favor, acuéstate conmigo". Así que voy a hacerla lo más básica posible, voy a poner el sintetizador en este *riff* cutre... era basura».

Qué equivocado estaba. «Let´s Go To Bed» era una creación pop inteligente y brillante. La canción, que empezaba con una melosa voz murmurando: «Da-doo-doo-doo», y unos sencillos acordes de guitarra, se te quedaba grabada en el cerebro y se negaba a salir. Como todo pop fantástico, fue al instante una canción pegadiza.

«Let´s Go To Bed» era alquimia pop desenfadada, optimista, generosa, positiva. Era todo lo que *Pornography* no era. Era, precisamente lo que Smith pretendía, la canción antiCure.

No cabía duda de que había ganado el reto que le había planteado Chris Parry y había creado un rayo de pura genialidad pop. Pero típico de Robert Smith, recibió el éxito descalificándolo.

«No la considero una canción de The Cure», explicó en *Record Mirror*. «Este *single* se ha lanzado para conseguir tiempo en antena durante el día y para mí es una decepción porque es la primera vez que consideran que seguimos las tendencias o las modas actuales. A mí me desagrada que nos vean preocupándonos por algo que no respeto».

En gran medida, Smith seguía siendo el aspirante a esteta con cara de pocos amigos, el adolescente que se las da de entendido en música y que escuchaba discos de *art-rock* en su dormitorio en Crawley; que había citado a Khachaturian como una de las influencias de *Seventeen Seconds*; que le encantaba decir a los periodistas que anhelaba superar a Mahler o a Beethoven.

Para Robert Smith la música tenía que ser gran arte, creado mediante una profunda y catártica introspección. Tenía que ser profundo, oscuro y difícil. La música pop de las listas de éxitos era el enemigo; especialmente las cancioncillas pop ligeras y divertidas con títulos como «Let´s Go To Bed».

«Nunca permitiría que considerasen que competimos por ser un grupo número uno», explicó con desdés a *NME*. «Todo eso son tonterías».

Si hubiese puesto una pegatina en su nueva creación que rezase: «NO COMPRÉIS ESTE *SINGLE*» no habría apoyado menos el disco. Sus protestas no sirvieron de nada. Los locutores de radio, que saben si una canción pop es verdaderamente fantástica en cuanto la escuchan, y que no solían poner a The Cure, empezaron a ponerlos continuamente en el Reino Unido y, lo que es mucho más revelador, en Estados Unidos.

Pero aquí no acaba todo. Tras haber cambiado (temporalmente y a regañadientes) el sonido de su música, The Cure cambió su imagen.

Los vídeos de The Cure hasta la fecha siempre habían sido grabaciones decepcionantes, realizadas con poco entusiasmo y en el último momento, con la banda que no lograba cuajar y con directores que no eran los apropiados. La timidez de Smith había sido un problema, como también lo había sido el hecho de que considerase todo el proceso de realización de un vídeo, igual que en el caso de la música pop, que, en cierto modo, no estaba a su altura.

Pero todo cambió cuando conoció a Tim Pope.

Pope, todavía en los primeros años de su carrera, había dirigido ya vídeos para Altered Images, Wham! y The Psychedelic Furs, pero Chris Parry lo sugirió inicialmente para «Let´s Go To Bed» pues le había impresionado su trabajo con Soft Cell.

Cuando Pope y Robert Smith se conocieron, enseguida congeniaron. A Smith en particular lo que le gustó es que le daba la sensación de que los vídeos de Pope parecían reírse con picardía de las canciones que acompañaban y de la música pop en general, precisamente la intención de «Let´s Go To Bed».

«Robert buscaba algo extravagante», confirmó Parry en *Ten Imaginary Years*, «algo que se riese de las otras canciones pop con las que se suponía que competía la suya».

PÁGINA ANTERIOR - Carátula de «Let's Go To Bed».
SUPERIOR - The Cure conocen a su gurú visual: Tim Pope.

SUPERIOR - «¿Comprarías un abrigo largo para este hombre?». Robert Smith, 1983.
PÁGINA SIGUIENTE - De vuelta con The Banshees: una escapada camino del estrellato pop.

No cabe duda de que lo consiguió. El vídeo extravagante y surrealista de «Let´s Go To Bed» presentaba a Tolhurst bailando torpemente, primero vestido con un mono y después desnudo detrás de una pantalla, mientras que Smith cantaba a pleno pulmón a dos huevos duros con dos caras pintadas, para a continuación estrellarlos, pintar a su baterista y tirar un árbol de Navidad. Era un vídeo frívolo, extravagante... y divertido.

¿De verdad que esto era The Cure?

Robert Smith, indeciso al respecto, todavía no estaba seguro de si lo era. Insistió en cambiar el nombre del grupo —¿The Cult Heroes, quizá o Recur?— para lanzar la canción. Pero Parry, que temía que iba a perder una oportunidad de oro, no dio su brazo a torcer y logró convencerle de que al fin y al cabo era un *single* de The Cure.

Cuando se publicó en noviembre de 1982, «Let´s Go To Bed» alcanzó el número cuarenta y cuatro en el Reino Unido —irónicamente una posición más baja que «The Hanging Garden» que era un canto fúnebre—. Gracias a que el vídeo de Tim Pope se emitía en MTV, la nueva cadena musical estadounidense, también fue el primer *single* de The Cure que coqueteó con las listas estadounidenses.

Y lo que es más importante, mostró que había otra cara aparte del triste y sombrío The Cure —y este genio no podía meterse otra vez en la botella—.

Ahora bien, Robert Smith seguía negando el potencial de reinvención del grupo como proveedores de caprichosas creaciones pop. Tenía ganas de acabar con todo esto antes de que llegase demasiado lejos, y encontró una manera de hacerlo.

Smith era amigo y colega de copas y drogas de Steve Severin, el bajista de The Banshees. Severin había viajado varias veces con la infortunada gira Fourteen Explicit Moments y también se había pasado por el estudio durante la grabación de «Let´s Go To Bed».

Aparte de la amistad, las visitas de Severin tenían una función. Tenía una misión. «Siempre le decía a Robert que disolviese The Cure y se uniese a The Banshees», reconoció sin problemas años más tarde. «Sin duda, estaba sembrando las semillas del descontento».

Su oportunidad había llegado. Al notar la prevención de Smith ante la nueva e indeseada dirección pop que tomaba The Cure, Severin le hizo una oferta que esperaba que no pudiese rechazar. El guitarrista de The Banshees, John McGeoch, acababa de dejar la banda: ¿le gustaría a Smith dejar de hacer el tonto con cancioncillas pop como «Let´s Go To Bed» y regresar al mundo del *art-rock* «serio» y reemplazarlo?

Sería un paso que llevaría a Smith de regreso adonde en ese momento deseaba estar: su zona de confort. Para horror de Parry, le dijo que sí. De efecto inmediato, volvía a ser de nuevo un Banshee.

Su primera obligación en esta nueva función fue la gira por el Reino Unido del álbum *A Kiss in the Dreamhouse*. Esto le ocupó hasta finales de 1982 y entonces acordó seguir de gira con ellos en enero y febrero de 1983 por Australia, Nueva Zelanda y Japón.

En un principio, ser un asalariado ya le iba bien. Le gustaba recorrer el mundo con Severin y no tener la presión de estar en el centro del escenario y ser el fulcro creativo de la banda. Solo tenía que presentarse, conectar la guitarra y hacer su trabajo.

Todavía seguía dejándose llevar y disfrutando como un Banshee a principios de 1983 cuando «Let´s Go To Bed» se convirtió en un pequeño éxito en Estados Unidos y en un tema clásico de la radio en California. Robert Smith tenía que promocionar a The Cure en Estados Unidos y no estaba.

Esto enfureció a Chris Parry, que veía como se le escapaban a Fiction las oportunidades y los dólares. Enfadado, telefoneó a Smith y le amenazó con demandarle por incumplimiento de contrato.

El cantante, indignado, le respondió con una retahíla de amenazas, algunas de ellas físicas, y el furioso jefe de la discográfica le pidió disculpas y retiró el ultimátum. Había sido un error táctico de Parry. Todo lo que tenía que hacer era sentarse y esperar.

No cabía duda de que Smith se iba a cansar de su restringido papel con The Banshees. Era un artista motivado, un alma creativa inquieta y, lo más importante, tenía que controlarlo todo. Era imposible que disfrutase durante mucho tiempo de su papel secundario en el circo andante de Siouxsie Sioux igualmente dictatorial.

Lol Tolhurst no había entrado en pánico como Parry. Siempre había estado seguro de que el díscolo cantante pronto regresaría.

«Siempre supe que lo que Smith deseaba era ponerse al frente de The Cure», le contó a Jeff Apter en *Never Enough*. «Así que nunca pensé que se había ido para no volver. Siempre pensé que su aventura con The Banshees y con Steve eran unas vacaciones musicales».

Como no había tenido vacaciones con The Cure en cuatro años, a Smith ahora le apetecían unas vacaciones. Cuando terminó la gira de *A Kiss in the Dreamhouse*, Severin y él siguieron con su actividad y decidieron llevar a cabo un proyecto con el nombre de The Glove.

El álbum *Blue Sunshine* de The Glove era una extravagancia psicodélica *art-rock* que no sonaba ni a The Banshees ni a The Cure y que según cuentan, se grabó durante un divertido viaje en ácido de tres semanas con Jeanette Landrey, ex novia de Budgie, el baterista de The Banshees, como vocalista. Smith describiría después la experiencia como «fantástica», pero reconoció que el exagerado consumo de LSD no era algo que pensase repetir pronto.

Mientras tanto, Parry seguía desesperado por poner de nuevo a The Cure en acción y capitalizar el interés generado por la nueva sensibilidad pop de «Let´s Go To Bed». El primer regreso a medias fue una aparición en abril de 1983 en el programa pop de la BBC *The Oxford Road Show*.

Con Gallup todavía *persona non grata* —aunque nadie le había dicho nada; Smith no había hablado con él desde la desastrosa última gira— y The Cure básicamente reducido a Smith y al obstinado Tolhurst, el mánager les ayudó a improvisar una banda para el programa.

Y así fue como apareció Andy Anderson, antiguo baterista de Hawkwind, la banda de *space rock*, y de Brilliant, un proyecto *art*-pop, que recientemente había trabajado con Smith en el álbum de The Glove grabado bajo la influencia de las drogas.

IZQUIERDA - «Seré un Banshee...», pero no por mucho tiempo.
INFERIOR - «Blue Sunshine», «Like an Animal» y «Punish Me With Kisses» de The Glove.

> Siempre pensé que su aventura con The Banshees y con Steve eran unas vacaciones musicales.
>
> LOL TOLHURST

Derek Thompson, de SPK, el grupo australiano de música industrial, apareció en el programa televisivo como bajista.

Los productores de *The Oxford Road Show* como era lógico querían que The Cure tocase «Let´s Go To Bed». Evidentemente, Smith no quería hacer nada tan obvio y en potencia comercialmente ventajoso para la banda e insistió en tocar los temas de *Pornography*: «One Hundred Years» y «The Figurehead».

Pese a todo, la actuación fue un éxito y Smith disfrutó tocando de nuevo con The Cure. Cuando Parry le sugirió poco después que grabasen un nuevo *single*, aceptó.

Smith y Tolhurst fueron a los londinenses Jam Studios con un nuevo (para ellos) productor, Steve Nyc, que había producido el álbum *Tin Drum* de Japan, compañeros supervivientes de Hansa Records. Salieron del estudio cuatro días después con «The Walk».

«The Walk» era un delicioso y efervescente tema electro-pop por excelencia avivado por la brillante melodía de los sintetizadores —quizá Tolhurst había encontrado al final su especialidad— y que escalaba a un vertiginoso desvarío, una juguetona reflexión sobre... ¿quién sabía? Las palabras de Smith sobre mujeres que dan alaridos y bebés japoneses poco desvelan.

La banda enseguida se reunió con Tim Pope para grabar un vídeo para el *single*, que esta vez mostraba a Tolhurst con un vestido y a Smith totalmente vestido de rodillas en una piscinita de plástico, haciendo mohínes a la cámara como un hombre que se da cuenta de que quizá, solo quizá, no odia los vídeos pop.

Robert Smith empezaba a parecer una estrella del pop, aunque, como es obvio, nunca agradecería que se le dijese algo así.

La grabación del vídeo tuvo otro aspecto positivo para The Cure. Phil Thornalley, productor de *Pornography*, no estaba trabajando en ningún proyecto en ese momento y se pasó por el estudio a visitarlos. Cuando Smith le comentó que Simon Gallup ya no estaba con ellos, Thornalley vio una oportunidad.

Además de su trabajo como productor, había tocado el bajo con diferentes grupos desde la adolescencia. Cuando se lo contó a Smith, el cantante le preguntó enseguida si quería probar con The Cure. Thornalley no se lo pensó dos veces.

«Era sed de gloria; la idea de que me diesen la oportunidad de estar en una banda que tocaba en teatros y no en lavabos», le contó a Jeff Apter en *Never Enough*. «Era una oportunidad para ver el mundo».

«Let´s Go To Bed» fue un paso hacia delante, pero «The Walk» fue el tema que cambió todo para The Cure cuando se lanzó en junio de 1983. Como la BBC no estaba muy segura de emitir el vídeo de la canción porque Tolhurst y Smith aparecían vestidos de mujer, la banda decidió hacer dos apariciones separadas en *Top of the Pops*.

Ambas apariciones hicieron que la canción, que ya ascendía rápidamente las posiciones de las listas de éxitos de *singles*, subiese todavía más, ya que la banda más empecinadamente de culto de repente se había vuelto comercial. «The Walk» llegó al número doce: un auténtico éxito pop.

Pero esto no estuvo exento de controversia. Algunos críticos señalaron que la melodía de los sintetizadores de la canción era muy parecida a la de la colosal «Blue Monday» de New Order, que había sido lanzada unas semanas antes. Sin embargo, la similitud era casual, The Cure había grabado su tema antes.

Cualquier artista estaría loco de alegría de pasar de un estatus de culto, marginal a ser una estrella del pop. Pero Robert Smith no era un artista cualquiera. El cantante de The Cure estaba en el mejor de los casos indeciso y en el peor negaba la nueva encarnación de su banda, que se convirtió en un grupo alegre y pegadizo.

PÁGINA ANTERIOR - El hombre más trabajador del pop: el horario de grabación de Smith provocó un distanciamiento con Siouxsie Sioux.
SUPERIOR, DERECHA - «Portada de «The Walk».
SUPERIOR, IZQUIERDA - Dos músicos pop de The Cure.

> ¡El lugar explotó con las chicas gritándonos como si fuésemos los Beatles! Era increíble. Miré a Robert y el simplemente sonrió.
>
> LOL TOLHURST

Cuando The Cure fue cabeza de cartel del festival Elephant Fayre en Cornualles el 30 de julio, el polémico cantante rehusó tocar las recientes creaciones que habían bombardeado las listas de éxitos y en su lugar tocaron dieciocho letanías de *Faith* y de *Pornography*.

Era, diría más tarde, «la última oportunidad» de tocar una serie de canciones como esas. Quizá se estaba despidiendo de la banda que había imaginado que tenía que ser The Cure.

El grupo al menos tocó el nuevo y alegre material en una gira promocional relámpago que los llevó a Nueva York, Toronto y California, para confirmar su nuevo estatus en Norteamérica muy influido por MTV. Tras una actuación en Los Ángeles, les llevaron a un club en Hollywood y les invitaron a tocar un par de canciones.

Lol Tolhurst comentaba en *Cured* que en ese momento se dio cuenta de que en Estados Unidos todo había cambiado para The Cure:

> «Lo que realmente se me quedó grabado es lo que pasó cuando salimos al escenario. Estábamos acostumbrados a que nos diesen la bienvenida jóvenes serios, quizá algunos iban con sus novias, pero el público era básicamente masculino.
>
> Esa noche en el club fue distinto. ¡El lugar explotó con las chicas gritándonos como si fuésemos los Beatles! Era increíble. Miré a Robert y el simplemente sonrió.
>
> Recuerdo que fue abrumador, maravilloso cómo se percibía el cambio en el ambiente».

Quizá la extraña explosión de adulación femenina en Los Ángeles hiciese que The Cure inconscientemente creyesen que serían capaces de manejar su nuevo estatus de estrellas del pop. De regreso a Inglaterra, después de la minigira promocional por Estados Unidos, pararon en París y grabaron «The Love Cats».

Esta vez dieron de lleno en la diana. «The Love Cats» era un elixir pop de los mejores; esta melodía insustancial pero a la vez espléndida, ligera, juguetona, boba y alegre, era completamente convincente, tan caprichosa y segura como solo la mejor música pop puede ser.

Mientras Smith cantaba alegremente, se movía como un tigre cauteloso. Era maravillosamente, maravillosamente, maravillosamente encantador. Y la sensación de euforia veleidosa e insaciable estaba a años luz de *Faith* y de *Pornography*.

El inevitable vídeo de Pope, filmado durante toda una noche en una desierta mansión del norte de Londres, resaltaba el realismo mágico a lo Lewis Carroll de la canción. En un mar de gatos, Smith, maquillado con mucho rímel y él también con aspecto felino, bailaba y hacía mohínes, mientras Lol Tolhurst merodeaba las calles al amanecer disfrazado de gato gigantesco.

Era una diversión estrafalaria y quijotesca, perfecta para el mundo de MTV, para los programas pop para jóvenes y para *Smash Hits*.

SUPERIOR - Portada de «The Love Cats».
DERECHA - ¿Estrellas del pop? ¿Quién, nosotros?

> Regresábamos todas las noches de madrugada cuando el pub ya estaba cerrado, pero lo volvíamos a abrir.
>
> LOL TOLHURST

Así que obviamente, en cuanto Robert Smith se dio cuenta de lo que había hecho, intentó rechazarla.

En una entrevista con la revista *Rock & Folk* siguiendo lo que se había convertido en su línea habitual, dijo de esta alegre joya de las listas de éxitos que era una canción pop de aficionados, una parodia suave y trivial de los éxitos pop.

«"The Love Cats" está muy lejos de ser mi canción favorita», dijo malhumorado. «La compusimos borrachos, rodamos el vídeo borrachos, y la promocionamos borrachos. Era una broma».

Era Smith otra vez sacando la pegatina «NO COMPRÉIS ESTE *SINGLE*», pero no iba a funcionar. Con la canción sonando a todas hora en Radio 1 y con las continuas apariciones de The Cure en *Top of the Pops*, «The Love Cats» alcanzó el número siete en las listas británicas.

Se había demostrado que Chris Parry tenía razón. The Cure eran completamente capaces de ser los fascinantes y encantadores alquimistas de pop que él siempre había intuido que llevaban dentro. Por desgracia para él, Robert Smith no era en absoluto una dócil marioneta.

Oscilando entre extremos emocionales, Smith seguía sin sentirse a gusto con la nueva y efímera condición de estrellas del pop y ya tenía un salida de escape. Seguía siendo un Banshee.

A finales de 1983, Smith fue con The Cure a los Genetic Studios en Stretley, Berkshire, a componer y grabar el álbum que se convertiría en *The Top*. Simultáneamente, también trabajaba con Siouxsie and The Banshees en los estudios Eel Pie en Twickenham, en el oeste de Londres, a una hora en taxi del otro estudio, grabando el álbum *Hyaena*.

«Grababa el álbum de The Banshees en Eel Pie y después me iba en taxi a Genetic», recordaría Smith años después. «The Cure se alojaba en un pub... yo me tomaba unas cuantas copas y después íbamos al estudio. Empezábamos a grabar a las dos de la mañana. Luego regresaba a Eel Pie. Dormía en el taxi».

Esta rutina diaria sería criminal para una persona perfectamente sana, y Robert Smith, que se mantenía a base de cervezas, cocaína, comida basura y el potente té de hongos de Andy Anderson, el nuevo baterista de The Cure, no estaba muy sano que digamos. Tampoco ayudaba que The Cure montase su campamento en un pub.

Smith, Tolhurst y Anderson se alojaban en el John Barleycorn, un pub en la misma calle donde estaba Genetic Studios del productor Martin Rushent. El propietario, un antiguo miembro del grupo de *blues-rock* Ten Years After de la década de 1960, les dio las llaves del bar y les dijo que se tomasen lo que quisieran aunque él no estuviese.

El resultado fue que, a cualquier hora del día o de la noche, Smith llegaba en taxi desde Twickenham y tenía una pinta esperándole.

IZQUIERDA, SUPERIOR - Carátula de *Japanese Whispers*.
IZQUIERDA - «¡No solo visto de negro!». Robert Smith en 1984.

«Regresábamos todas las noches de madrugada cuando el pub ya estaba cerrado, pero lo volvíamos a abrir», explicaba Lol Tolhurst en *Cured*. «Creo que teníamos a algunos de los habituales completamente sorprendidos porque cuando el pub abría, nosotros ya estábamos allí sentados, con cara de locos y tomando pintas de la mejor cerveza amarga».

Con su acostumbrado hablar mesurado y lúgubre, Tolhurst admitía en retrospectiva que quedarse en un pub con un alcoholismo cada vez más acentuado «quizá no fuese la mejor idea». Tampoco ayudó mucho al equilibrio mental de Smith.

Hecho polvo con las presiones de su nuevo y no tan deseado estatus de estrella del pop y grabando dos álbumes a la vez con dos de las bandas de *rock* alternativo más importantes del Reino Unido, Robert Smith estaba a punto de estallar. Intentaba, y no por primera vez a lo largo de su carrera, hacer demasiadas cosas a la vez.

Al menos, las sesiones con The Banshees deberían haber sido sencillas. Como guitarrista contratado no se esperaba de él ni que organizase el grupo ni que compusiese, debían esperar que se relajase y disfrutase de la experiencia. Pero no fue así.

Irritados por su lealtad dual, Siouxsie, Budgie e incluso Severin, el amigo íntimo de Smith, empezaban a sospechar que su corazón no estaba realmente en *Hyaena*. No estaban seguros de sacar partido de lo que habían invertido en él. En el aire flotaba una gran sensación de resentimiento.

Mientras tanto, cuando Smith estaba en Genetic con sus compañeros de The Cure medio borrachos y viviendo en un pub, estaba mentalmente agotado. Todo dependía de él. «La mayor parte [de *The Top*] era un álbum de Robert», admitió Tolhurst años después.

¿Pero que tipo de álbum iba a ser? Desde que The Cure habían grabado *Pornography*, se habían reinventado como elfos pop, habían espolvoreado polvo de oro sobre las listas de éxitos del Reino Unido y habían tenido en Estados Unidos un comienzo más que decente apoyados por MTV.

Entonces, ¿era *The Top* otro ejercicio tipo *Faith/Pornography* sobre las profundidades del alma, otra inmersión en un personal corazón de las tinieblas u otra dosis de la despreocupada alegría y del frívolo fervor que había producido «The Walk« y «The Love Cats»?

Nadie lo sabía, y menos Robert Smith, pero le consumía la necesidad de averiguarlo. Todas las noches llegaba a Streatley cansado, nervioso, agitado y funcionando a basa de coca, ácidos, cerveza o cualquier otra cosa que hubiese y se centraba en el disco con frenética intensidad.

El coproductor de *The Top* junto con Smith era Dave Allen, que trabajaba estrechamente con Rushent, el propietario de Genetic, y que previamente había sido ingeniero de sonido de *Dare*, el colosal álbum de The Human League, además de producir un álbum reciente para The Members, supervivientes del punk *rock*. «Era perfecto para nosotros», comentó Tolhurst con aprobación.

THE TOP

LISTA DE CANCIONES

CARA 1

Shake Dog Shake
Bird Mad Girl
Wailing Wall
Give Me It
Dressing Up

CARA 2

The Caterpillar
Piggy In The Mirror
The Empty World
Bananafishbones
The Top

> «Llegué a la conclusión de que detrás de esa estudiada impasibilidad, Robert Smith es una persona muy amable y genuinamente sensible.»

MAT SNOW, *NME*

Fecha de lanzamiento 22 de mayo de 1984

Grabado en Genetic, Garden Studios y Trident (Inglaterra)

Producción
Producción e ingeniería de sonido Dave Allen y Robert Smith.
Producción adicional: Chris Parry.

Músicos
Robert Smith: voz, guitarra, bajo, teclados, órgano, violín, armónica, flauta dulce
Lol Tolhurst: teclados
Andy Anderson: batería, percusión.
Porl Thompson: saxofón

Diseño de la carátula Parched Art

Sello discográfico Fiction FIXS9

Máxima posición en listas alcanzada tras su lanzamiento
Reino Unido 10, Estados Unidos 180, Australia 55, Francia 18, Alemania 44, Países Bajos 12, Nueva Zelanda 23, Suecia 31

Notas
Todas las canciones compuestas por Robert Smith, excepto si se especifica de otro modo. El álbum se reeditó el 8 de agosto de 2006 en Estados Unidos y el 14 de agosto en el Reino Unido. El segundo disco incluía cuatro temas inéditos («You Stayed», «Ariel», «A Hand Inside My Mouth», letras que fueron utilizadas en «Inbetween Days» y «Six Different Ways», y «Sadicic», que se convertiría en *New Day*), tres actuaciones en directo y tomas y demos de estudio de nueve de las diez canciones del álbum original (y de las versiones finales de «Happy the Man» y «Throw Your Foot«, que fueron publicadas como caras B del *single* «The Caterpillar».

the cure
the top

Allen congenió con Smith y en los años venideros produciría muchos discos de The Cure, aunque a Tim Pope le confesó en un momento de descuido que durante la grabación de *The Top*, debido a la intensa dedicación de Smith y al agotamiento nervioso hubo algunas sesiones «aterradoras».

Robert Smith, mitad sombrío icono *indie*, mitad estrella del pop de las listas de éxitos se encontraba en un estado de ánimo esquizofrénico mientras grabó *The Top* y eso se notó. Era un álbum con dos vertientes como mínimo: no estaba seguro de lo quería ser e intentaba serlo todo a la vez. Hay que reconocer que salió bien.

A pesar de encontrarse perdido y confundido, Smith logró que *The Top* tuviese los ingredientes necesarios para gustar a los dos tipos de seguidores de The Cure: el toque gótico para los discípulos de antaño ataviados con largos abrigos y el toque pop para los críos a los que les gustaba saltar al son de «The Love Cats». Sin embargo, nadie podría decir que el álbum hiciese concesiones, era demasiado raro para eso.

«Shake Dog Shake» empezaba con un grito o con una inquietante risa con Smith dando alaridos sobre levantarse en la oscuridad y raspar la piel con cuchillas; un tema probablemente no muy apropiado para MTV. Su ritmo era fúnebre, sus ideas atribuladas.

«Bird Mad Girl» y «Wailing Wall», que parecía inspirada en un muecín, eran incursiones más psicodélicas de lo habitual en The Cure. Era evidente que Smith no se había deshecho completamente de la resaca psíquica de los ácidos con Severin y The Glove: cualquiera de los dos temas hubiera quedado perfectamente en *Blue Sunshine*.

«Give Me It», estertórea y dispersa, sonaba genuinamente desquiciada, una ruidosa misiva desde algún lugar cercano al final de una soga. Porl Thompson, que estaba de visita, tocaba el saxo; aparte de la batería fue el único instrumento del disco que Smith no tocó. A continuación la zampoña, en la aparentemente suave «Dressing Up», que parece trazar un funesto descenso en el caos mental.

Sin embargo, la mayor concesión de *The Top* a los nuevos y arribistas seguidores de The Cure a lo Duran Duran y Culture Club fue «The Caterpillar». Una continuación divertida y alegre de «The Love Cats»: cuando a Smith le apetecía una melodía frívola, parece que se inclinaba por el mundo animal.

«The Caterpillar» era una especie de canción de amor, sin embargo, también era puro néctar pop, pero no por su letra, sino por su insaciable ritmo y su afectado y coqueto abandono. Su sonido, ligero como el aire, embelesaba, extasiaba: una canción pop propia.

Ciertamente, resultaba difícil ver cómo Smith, en su lamentable estado físico y mental podía haber tejido algo de una textura tan bella y atractiva (especialmente cuando uno de los sonidos más raros de la canción era el de Anderson restregándose las manos cn los pantalones de cuero).

El ritmo se ralentizaba de nuevo en «Piggy in the Mirror», un fantástico tema *acid*-pop de 45 rpm a 33 rpm. La falsa retreta militar de «The Empty World» no acababa de funcionar —no había suficien-

IZQUIERDA - Robert Smith en *The Tube*, 6 de abril de 1984.

> De repente se te va la olla y pierdes contacto con lo que pasa. Estaba horrible, mentalmente horrible.
>
> ROBERT SMITH

te canción dependiendo de ella— pero confirmaba que *The Top* era, como mínimo, un álbum experimental hecho con valentía.

La deshilvanada y fracturada «Bananafishbones» debe parte de su título al relato corto de J. D. Salinger *Un día perfecto para el pez plátano* y el último tema, el que da título al álbum, eran siete minutos a paso de tortuga de unas letras tristes y profundas, un poco como *Seventeen*.

Era un álbum muy variado surgido del caos mental, pero *The Top* continuaba la marcha, al parecer inexorable, de The Cure hacia un estrellato pop no deseado. Como siempre, las críticas fueron muy diversas y Mat Snow de *NME* fue quien marcó el tono.

Pese a estar predispuesto contra The Cure por lo que él consideraba «su vacua confusión disfrazada de elocuente intensidad», cuando se vio con Smith cambió de opinión: «Llegué a la conclusión de que detrás de esa estudiada impasibilidad, Robert Smith era una persona muy amable y genuinamente sensible».

Tanto si *The Top* era un ejemplo de vacua confusión como si no lo era, los seguidores de la banda disfrutaron del álbum. «The Caterpillar» se convirtió, cuando se lanzó en marzo de 1984, en el tercer *single* consecutivo de The Cure que llegó al Top 20 y el álbum lo sobrepasó en mayo entrando en los primeros puestos.

Para entonces, Robert Smith había tomado una decisión difícil, una que había postergado pero que era necesaria si quería conservar la cordura, había dejado a The Banshees.

Hyaena apareció un mes después de *The Top* y The Banshees le pidieron a Smith que fuese de gira con ellos a Estados Unidos. Para entonces, el cantante de The Cure ya estaba hecho polvo, padecía envenenamiento de la sangre y estaba al borde de una crisis nerviosa y física. La bebida, las drogas, el estrés y las veinticuatro horas grabando todos los días le habían pasado la inevitable factura.

«Dormí una media de dos horas al día durante aproximadamente un mes y bebía todo el tiempo», recordaría en la revista *Spin* años más tarde. «Estaba completamente desmadrado, igual que me había pasado en la época de *Pornography*».

«De repente se te va la olla y pierdes contacto con lo que pasa. Estaba horrible, mentalmente horrible. Llegó un punto en el que me levanté una mañana y pensé, ya basta. Tengo que irme de vacaciones... Telefoneé a The Banshees y les dije: no puedo más».

La severa Siouxsie Sioux tenía fama de ser estricta y exigente. Probablemente una muestra de lo que le costaba a Smith darle la noticia fue una famosa anécdota: le entregó una nota de su médico de Crawley para demostrar que no podía salir de gira.

A The Banshees no les hizo ninguna gracia: «El gordo Smith no tiene nada que ver con el álbum, solo toca en él», informó Siouxsie taxativamente a un periodista; asimismo la amistad entre Smith y Severin se vio afectada. Pero lo principal era que los frenéticos días de tocar en dos bandas se habían acabado.

Y menos mal, porque Robert Smith tendría que dedicar sus energías a su banda, The Cure estaba a punto de dar un salto mayúsculo.

LISTA DE LECTURAS

Bananafishbones
Del relato corto de J. D. Salinger *Un día perfecto para el pez plátano*, publicado en la colección *Para Esmé —con amor y sordidez.*

«El título (de la canción), por ninguna razón aparente, está inspirado en *Un día perfecto para el pez plátano*, un cuento de J. D. Salinger... de nuevo, yo odiándome a mí mismo», dijo Smith en The Cure News, un boletín informativo realizado por fans en 1990.

Bird Mad Girl
Inspirada en *Love in the Asylum* (*Amor en el manicomio*) de Dylan Thomas.

IZQUIERDA - «El gordo» Smith abandona para siempre a The Banshees.

RAIDERS
RAIDERS
RAIDERS

«¡HOLA, AMÉRICA!»

The Cure había iniciado la gira mundial de *The Top* antes incluso del lanzamiento del álbum. Habían empezado en Newcastle en abril de 1984 y habían pasado la primavera en la carretera por el Reino Unido y Europa, antes de tomarse unas inusuales vacaciones en verano y continuar la gira en agosto.

Entre los que viajaban se encontraba un antiguo compañero. Tras haber tocado el saxo en el estudio en «Give Me It», Porl Thompson, el guitarrista original de la banda, se unió de nuevo a The Cure para tocar en la gira los teclados, la guitarra y el saxo.

También iba a ser la primera gira de Phil Thornalley. Debido a sus compromisos de producción y al deseo de Smith de seguir sus ideas creativas en *The Top*, no había participado en la elaboración del álbum, pese a ello, ahora tenía la oportunidad de cumplir su deseo de «ver mundo» con la banda.

La gira de *The Top* se caracterizó como todo lo de The Cure por mucha bebida y mucha fiesta, pero no fueron ni Thompson ni Thornalley, músicos adicionales de la banda, los que encontraron que resultaba excesivo y que no podrían soportar y aguantar la presión, ese lamentable papel le tocó a Andy Anderson.

En mayo, Anderson había sido víctima de un desafortunado incidente al entrar en un hotel de lujo en Niza vestido con ropa militar y cargando sobre el hombro un aparato de música a todo volumen. Un guardia de seguridad, no acostumbrado a que los adinerados clientes del hotel se comportasen de esa manera, le roció la cara con gas para defensa personal.

Desorientado y con sed de venganza, Anderson persiguió al guardia de seguridad por el hotel y tiró una puerta abajo. La policía lo encerró en una celda: cuando lo dejaron en libertad le dijeron que tenía que abandonar la ciudad si no quería que el incidente tuviese más repercusiones.

No obstante, el verdadero colapso de Anderson ocurrió en Tokio, en octubre, cuando al regresar al hotel después de un concierto en el Nakano Sun Plaza Hall y de una larga noche en un club, causó estragos: atacó a varios miembros del personal de The Cure y a cualquiera que intentase reducirlo, una hazaña que logró el *tour manager* que fue militar.

«La gente nos había dicho: "Oh, tenéis que contratar a Andy, es un baterista fantástico"», le contó Tolhurst a Jeff Apter en *Never Enough*. «Pero nadie nos dijo que si estaba mucho tiempo de gira, se volvía loco».

Smith comprendía los problemas del baterista, pero se daba cuenta de que no podía seguir en la gira, de modo que le sacó un billete de regreso a Londres. El problema con el que se encontraban ahora era que iban a empezar la gira norteamericana de *The Top* sin baterista.

En esa tesitura fue Phil Thornalley quien les ayudó. Gracias a su trabajo como productor tenía una voluminosa agenda de contactos de músicos; primero llamó a Mike Nocito, el ingeniero de sonido que había

PÁGINA ANTERIOR - The Cure fotografiados en The Aragon Ballroom en Chicago (Illinois), el 15 de noviembre de 1985.
IZQUIERDA - Robert Smith, Lol Tolhurst, Andy Anderson y Phil Thornalley en el *backstage* en San Francisco, en 1983.

CONCERT: THE CURE LIVE

Fecha de lanzamiento 22 de octubre 1984

Grabado por Manor Mobile en el Hammersmith Odeon, Londres,

Producción
Producción e ingeniería de sonido: Dave Allen y The Cure

Músicos
Robert Smith: voz, guitarra
Porl Thompson: guitarra, saxofón, teclados
Andy Anderson: batería
Phil Thornalley: bajo
Lol Tolhurst: teclados

Diseño de la carátula Toberr

Sello discográfico Fiction FIXH10, 823 682-1

Máxima posición en listas alcanzada tras su lanzamiento
Reino Unido 26, Australia 86, Países Bajos 31, Nueva Zelanda 37

Notas
Temas compuestos por Robert Smith, Simon Gallup y Lol Tolhurst, excepto cuando se especifica de otro modo. La cara B de la edición en casete de *Concert* contenía otro álbum titulado *Curiosity (Killing the Cat): Cure Anomalies 1977–1984*, una serie de rarezas de The Cure grabadas entre 1977 y 1984.

LISTA DE CANCIONES

CARA 1
Shake Dog Shake
Primary
Charlotte Sometimes
The Hanging Garden
Give Me It

CARA 2
The Walk
One Hundred Years
A Forest
10:15 Saturday Night
Killing An Arab

EDICIÓN EN CASETE CARA B-
Curiosity (Killing the Cat): Cure Anomalies 1977–1984
Heroin Face
Boys Don't Cry
Subway Song
At Night
In Your House
The Drowning Man
Other Voices
The Funeral Party
All Mine
Forever (versión)

concert

the cure live

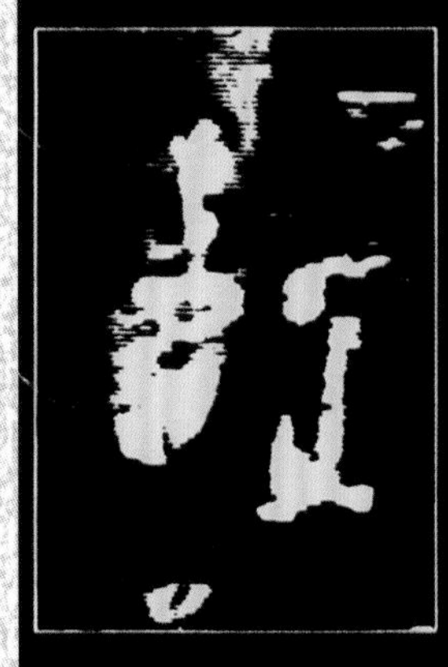

fiction

POCP-1878

trabajado con él en *Pornograhy*, pero debido a compromisos laborales no pudo aceptar.

La siguiente llamada fue más productiva. Como había trabajado en el álbum *Talk Talk Talk* de The Psychedelic Furs, conocía al antiguo baterista del grupo, Vince Ely, que entonces estaba trabajando en Estados Unidos. Ely accedió a tocar en las actuaciones de California mientras el grupo buscaba un baterista a tiempo completo.

Esto también se lograría gracias a Thornalley. Como había producido discos de Kim Wilde y de los Thompson Twins, un grupo de electro-pop usual en las listas de éxitos del Reino Unido, conocía a Boris Williams, el baterista que había tocado con los dos.

«Cuando me preguntaron si quería tocar con The Cure no estaba seguro de querer hacerlo», recuerda Williams. «Acababa de terminar una gira por Estados Unidos con Thompson Twins y no me apetecía patearme Norteamérica otra vez. Pero me enviaron unas cintas de sus canciones y fui a verles tocar con Vince Ely y la verdad es que me gustó mucho el espectáculo y la música. Ensayé los temas con la banda en las pruebas de sonido y después les dije: "Vale, contad conmigo"».

Cuando Williams se unió a The Cure en la gira, encontró que el ambiente era muy distinto al de los dos anteriores grupos con los que había trabajado. «Thompson Twins me habían contratado como asalariado en una banda de acompañamiento y las actuaciones eran siempre con pista de metrónomo y cintas pregrabadas», explica el baterista. «The Cure tocaba todo en directo y enseguida me hicieron sentir que formaba parte de su grupo. Todos se llevaban muy bien».

Contratar a Williams fue una de las últimas cosas que Thornalley hizo para la banda. Se lo había pasado en grande «viendo mundo» con The Cure, pero cuando regresaron a Gran Bretaña al final de la gira norteamericana le dijo a Smith que lo dejaba. «Ir de gira no es para pusilánimes», le contó a Jeff Apter en *Never Enough*. «Vas en avión a todas partes, no te cuidas, te puede pasar factura muy rápido».

En cualquier caso, para cuando Thornalley se marchó, The Cure ya tenía a un sustituto, se llamaba Simon Gallup.

Tras haber sido despedido de la banda por la pelea con Smith durante una gira, Gallup se había quedado en Crawley para lamerse las heridas y había formado una banda con Matthieu Hartley que se llamaba The Cry. Sin Hartley pero con Gary Biddles —que había trabajado como *roadie* con The Cure—, como cantante, The Cry rápidamente se transformó en Fools Dance. Sacaron dos EPs, uno de ellos con el bajista de los Stranglers Jean-Jacques Burnel, pero no consiguieron prosperar.

Gallup, que estaba atravesando por un doloroso divorcio y pasaba muchas noches en los pubs de la zona con Biddles, veía con no poca envidia y resentimiento como The Cure eran cada vez más famosos. Posteriormente confesaría que pensó: *ese debería ser yo*.

Gallup no solo añoraba la banda, sino también la gran amistad con Robert Smith, su alma gemela. Pero los dos amigos siguieron tozudamente enfadados hasta una noche de la Navidad de 1984, cuando Biddles, por su cuenta, llamó a Smith desde un pub para preguntarle si le apetecía tomar una cerveza.

Si Gallup había temido que rechazase la sugerencia, no tenía que haberse preocupado. Por lo visto Smith también le había añorado mucho y accedió a reunirse con ellos.

«Los dos se encontraron en mi casa y se saludaron tímidamente y a partir de ahí fueron avanzando», le contó Gary Biddles al escritor Steve Sutherland en *Ten Imaginary Years*. «Después de unas cuantas pintas, ya volvían a hablarse».

Smith posteriormente admitiría que ya se le había ocurrido hablar con Gallup cuando estaban grabando *The Top*, pero al final lo había pensado mejor. Sin embargo, ahora que ya se habían reconciliado y que Thornalley se había marchado, estaba claro que Gallup tenía que regresar a The Cure.

«Para mí, Simon siempre ha sido el bajista de The Cure, con el debido respeto por los otros músicos que han ocupado ese lugar», contó Tolhurst años después. «Se complementa muy bien con Robert en el escenario y es un gran bajista».

Gallup no fue el único hijo pródigo que regresó al grupo. Después de haber disfrutado de la gira mundial de *The Top*, Porl Thompson también decidió quedarse. Y Smith le preguntó a Boris Williams si quería seguir con ellos como músico de la banda y completar la formación.

«Me apetecía mucho, pero ganaba bastante dinero con Thompson Twins y, en comparación, con The Cure no ganaba tanto», reconoce. «Seguían siendo una banda de culto. Pero al final pensé: disfruto mucho tocando con ellos, así que, adelante, da igual si no voy a ganar mucho dinero».

Esta nueva formación de cinco músicos sería la que muchos fans considerarían la clásica de The Cure. Ciertamente fue la que logró un éxito estratosférico.

La banda se reunió por primera vez en un estudio del centro de la capital londinense; Smith había preparado una cinta con las demos de las canciones que había compuesto para el siguiente álbum, que sería *The Head On The Door*. Después de escucharla se fueron a los Angel Studios, en el norte de Londres, para grabar con Dave Allen de nuevo como coproductor junto con Smith.

A diferencia de los créditos compartidos de los discos anteriores, en *The Head On The Door* Smith sería el único compositor. No obstante, según Boris Williams el *modus operandi* de la banda seguía siendo muy democrático.

«Robert ya había compuesto casi todo el álbum, pero quería la aportación de todos», explica. «Obviamente, él tenía la última palabra, pero escuchaba atentamente a todos nosotros».

DERECHA - Una banda de culto a punto de convertirse en superestrellas.

“Seguían siendo una banda de culto. Pero al final pensé: disfruto mucho tocando con ellos, así que, adelante, da igual si no voy a ganar mucho dinero.”

BORIS WILLIAMS

SUPERIOR - Lol Tolhurst contra la pared, 1985.

Comparada con las agotadoras sesiones de grabación nocturnas cargadas de drogas de *The Top*, la grabación de *The Head On The Door* fue relajada. Aún así, un tren eléctrico daba vueltas por el estudio y a veces empapaban los vagones en alcohol y les prendían fuego.

Pero uno de los miembros de la banda empeoraba progresivamente: Lol Tolhurst, que estaba cada vez más confundido y borracho.

Tolhurst siempre había aportado ideas a los anteriores discos de The Cure. Esta vez, era incapaz de hacer nada, no paraba de beber todos los días las cervezas que tenían en los Angel Studios, hasta estar completamente borracho.

«Todas las mañanas llegaba con las mejores intenciones de no emborracharme esa noche, pero cada vez me resultaba más difícil mantener mi palabra», confesaría en *Cured*. «La mayoría de noches, me enviaban a casa en un taxi, demasiado borracho para tocar».

«Se bebía media botella de alcohol al día», confirmó Smith en *Mojo* en 2003. «Solíamos sacarlo a rastras y meterlo en un taxi sobre las ocho de la noche, casi cuando acabábamos de empezar a grabar».

«Era muy triste, yo me enfadaba mucho con él. Nunca se puso al día con la tecnología. Cuando grabamos *The Head On The Door* contratamos a una persona para que se ocupase del *emulator*, y él se quedaba sentado emborrachándose mientras otro hacia su trabajo».

Pese al problema de Tolhurst, The Cure se sentían seguros y centrados durante la grabación de *The Head On The Door*. Un Smith revitalizado no deseaba comprometer la intensidad emocional del disco, pero ya no tenía miedo ni despreciaba la música pop ni sus excelentes y maravillosas melodías.

«Quería componer canciones inquietantes y canciones pop y reunirlas en el mismo álbum», resumió después. «Sabía que había personas dispuestas a aceptar las dos vertientes».

La seguridad que emana *The Head On The Door* se aprecia desde el primer tema, «Inbetween Days», y desde sus primeras palabras. Sobre el papel, parecían una vuelta a la desesperación existencial de *Faith* o de *Pornography*. «Ayer envejecí tanto», se estremecía Smith, «que pensé que podía morir...».

Sin embargo, estas palabras que anteriormente habrían estado envueltas en espirales negras de desespero musical, ahora sonaban sobre capas estridentes de sintetizadores y unos audaces acordes de guitarra casi de flamenco. De nuevo Smith había dado con un filón de elixir pop. Empezaba a ser una costumbre.

Aunque no todas las canciones sonaban tan alegres. El siguiente tema, «Kyoto Song», también empezaba con unas llamativas palabras de muerte en una piscina y era otro recordatorio más de que el singular *dream-pop* de The Cure tendía más hacia la pesadilla. Pero incluso este oscuro tema tenía una melodía ganadora.

Establecía el tono de lo que seguía. «The Blood», «Six Different Ways» e incluso «The Baby Screams» eran oscuras reflexiones, crudos ensueños dentro de una música marcadamente accesible. ¿Estaban dorando la píldora? ¿Smith utilizando la música pop para sus propósitos en lugar de rechazarla con altivez?

Eso parecía, y sin embargo The Cure llegaba mucho más alto cuando Smith, en lugar de adaptarse más o menos al pop, lo abrazaba con toda su fuerza. Para mucha la gente el cenit de *The Head on the Door* fue la estupenda e impredecible «Close to Me».

Este *single* ligero como una pluma, veleidoso y lleno de pasión, tocado de la mano de Dios se convertiría en una de las canciones más famosas de The Cure en todo el mundo y, sin embargo, Smith reconoció que formó parte del álbum por los pelos.

«Es raro, porque de todas las canciones que habíamos compuesto, «Close To Me» no creo que sea la mejor», comentó a la revista musical británica *Q* para el número especial *1001 Best Songs Ever*.

«Era un momento del disco un poco surrealista y ni siquiera fue un tema definitivo del álbum durante la grabación. Solo cuando canté la letra e hicimos una producción muy exagerada, para que sonase claustrofóbica, parece que empezó a funcionar. Hasta eso momento, había sido una canción mediocre».

La versión acabada, con una producción genial, no tenía nada de mediocre, sin embargo, no sería justo describir *The Head On The Door* como un álbum pop ligero definido por temas alegres como «Inbetween Days» y «Close To Me». Los devotos observadores de The Cure

> Es raro, porque de todas las canciones que habíamos compuesto, «Close To Me» no creo que sea la mejor.
>
> ROBERT SMITH

DERECHA - ¿«Close To Me»? No es nada del otro mundo.

sabían que Robert Smith nunca dejaría que la banda se apartase demasiado de su obstinada introspección.

De modo que para equilibrar el conjunto, el último tema era una sombría reflexión de cinco minutos sobre el deterioro físico y las señales de la mortalidad titulado «Sinking». Era una buena manera de recordar a los fans que seguían siendo The Cure.

El principal *single* del álbum fue «Inbetween Days» y The Cure recurrió a su gurú visual, Tim Pope. Smith quería hacer un vídeo de una actuación en directo y le pidió a Pope que fuese estimulante y lleno de energía lo que él consiguió con un efecto visual fluorescente sobre los miembros de la banda. Este mecanismo no fue un éxito rotundo.

«Lo que Robert quería era un vídeo fresco y lleno de vida», le explicó Pope a Alexis Petridis de *Mojo* en 2003. «Se suponía que eran [las fluorescencias] una especie de efecto de color borroso, pero cuando llegó el vídeo, parecían calcetines. Robert se enfadó muchísimo».

A pesar de los calcetines voladores, este vídeo, con Smith, que debido a las permanentes juergas había engordado algunos kilos, y con casi todos los miembros de la banda con vertiginosos cardados y maquillaje, sería fundamental en crear la imagen de The Cure que tendrían millones de telespectadores aficionados a la música.

> Se ha quitado la camisa de fuerza de la perturbadora depresión que dio forma a *Faith*, se ha abierto camino entre la claustrofobia de *Pornography*... y ahora deambula como un excéntrico inofensivo.
>
> STEVE SUTHERLAND, *MELODY MAKER*

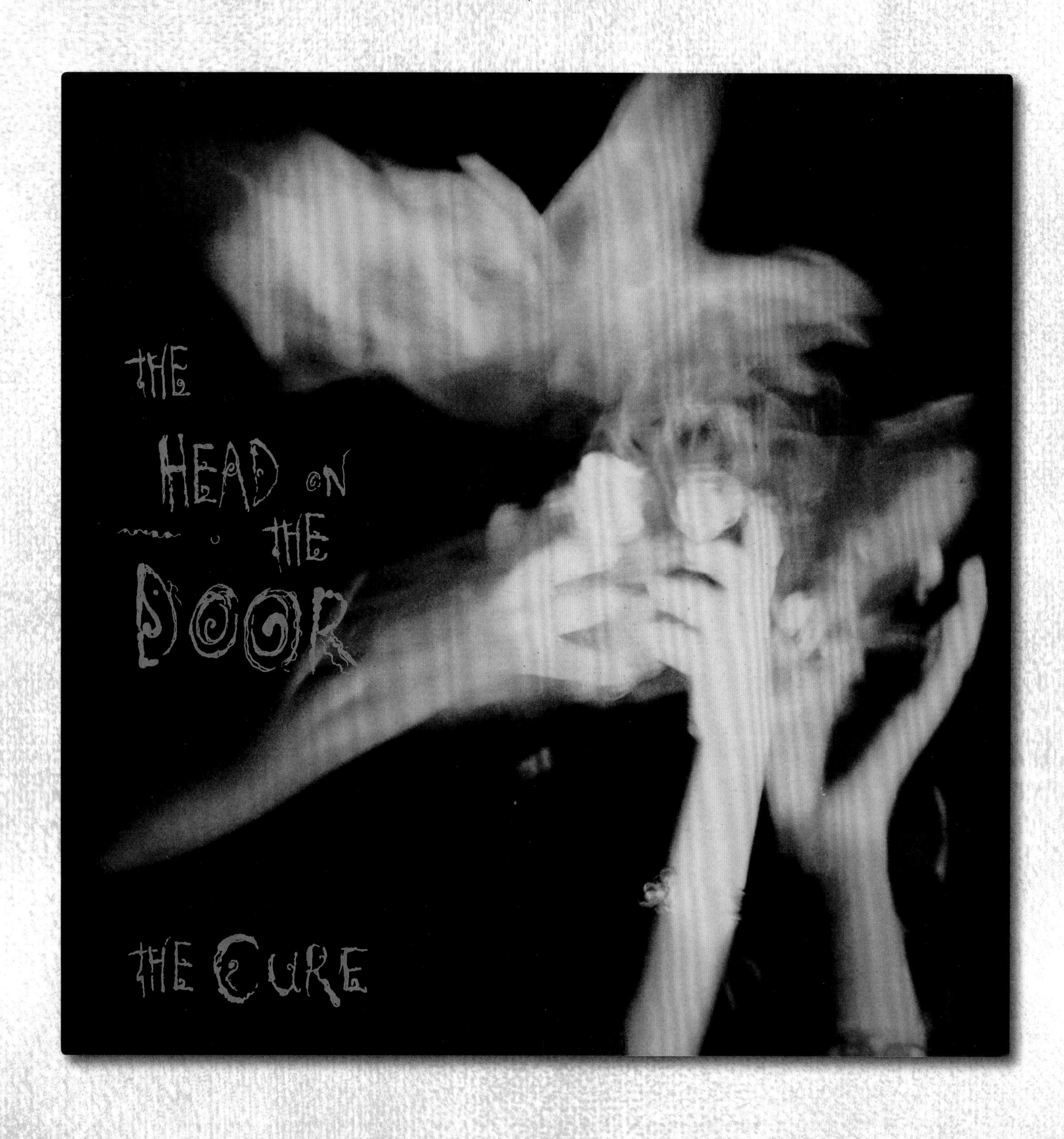
THE HEAD ON THE DOOR
THE CURE

THE HEAD ON THE DOOR

Fecha de lanzamiento 26 de agosto de 1985

Grabado en Angel Studios, Londres (Inglaterra)

Producción
Producción e ingeniería de sonido: Dave Allen y Robert Smith

Músicos
Robert Smith: voz, guitarra, teclados, bajo de seis cuerdas
Lol Tolhurst: teclados
Porl Thompson: guitarra, teclados
Simon Gallup: bajo
Boris Williams: batería, percusión
Ron Howe: saxofón en «A Night Like This»

Diseño de la carátula Parched Art

Sello discográfico Fiction FIXH 11

Máxima posición en listas alcanzada tras su lanzamiento
Reino Unido 7, Estados Unidos 59, Australia 6, Francia 6, Alemania 15, Países Bajos 3, Nueva Zelanda 11, Suecia 24, Suiza 14

Notas
Todas las canciones compuestas por Robert Smith. En 1996 se publicó una versión de «A Night Like This» en la reedición del *single* «Bullet with Butterfly Wings» de los Smashing Pumpkins. En 2006 el álbum fue reeditado por Universal en su sello Fiction Records/Polydor Records, remasterizado digitalmente con varias demos y temas en directo de la época. Se incluyeron demos de cuatro caras B de la época («The Exploding Boy», «A Few Hours After This», «A Man Inside My Mouth» y «Stop Dead») y cuatro canciones inéditas. El resto de canciones son demos o versiones en directo de los diez temas del álbum original.

LISTA DE CANCIONES

CARA 1
Inbetween Days
Kyoto Song
The Blood
Six Different Ways
Push

CARA 2
The Baby Screams
Close To Me
A Night Like This
Screw
Sinking

«Inbetween Days», lanzado en julio, continuó la racha de *singles* que habían entrado en los veinte primeros puestos de la lista del Reino Unido, alcanzando el número quince. El álbum *The Head On The Door* salió el mes siguiente y recibió críticas halagadoras.

El siempre perceptivo Chris Roberts, en el semanario musical *Sounds* alabó la aparentemente nueva despreocupación de Smith y dijo que el álbum: «Te hacía desear que más estrellas del pop fuesen lo bastante "in" para quedarse en la cama todo el día». Mientras *Record Mirror* alabó vagamente un «enfoque musical más amplio y maduro».

Steve Sutherland, que desde hacía mucho tiempo seguía la carrera de The Cure, escribió en *Melody Maker* que esta última misiva del grupo tenía muchas cosas para gustar.

«Robert Smith se ha ganado una posición precaria pero envidiable a lo largo de los últimos dieciocho meses», escribió. «Ya no sabemos que nos cabe esperar».

«Se ha quitado la camisa de fuerza de la perturbadora depresión que dio forma a *Faith*, se ha abierto camino entre la claustrofobia de *Pornography*... y ahora deambula como un excéntrico inofensivo».

Con algunas salvedades —le pareció que al álbum le faltaba la cohesión emocional de algunos de su discos anteriores—, Sutherland concluía que *The Head On The Door* era «una especie de perfección». A finales de 1985, *Melody Maker* lo declararía su álbum del año.

En respuesta a la fama que estaba adquiriendo The Cure en Estados Unidos, la revista *Rolling Stone* publicó una crítica del álbum, en la que consideraba que no era un álbum redondo y que la mayoría de los temas no conseguían tener el «encanto» de «Inbetween Days». Como siempre, los discípulos de The Cure pasaron totalmente de lo que los críticos pensasen.

The Head On The Door siguió ganando fans en Estados Unidos, se vendió mucho y llegó al número cincuenta y nueve. En Gran Bretaña, fue el álbum de The Cure que alcanzó el puesto más alto en las listas de éxito, llegó al número siete. Era increíble lo que se podía conseguir con un par de buenas canciones pop.

«Quería conseguir más público», confesó con franqueza Smith años después, recordando este álbum decisivo. «No tenía nada que ver con ser famoso. Quería que nos escuchasen más personas».

MTV ayudó mucho a conseguir este objetivo. El canal por cable estadounidense no se cansaba de los vídeos que Tim Pope hacía para de The Cure y estaban a punto de presentar el más famoso de todos.

«Close To Me» era la elección obvia para el segundo *single* del álbum *The Head On The Door*. Charlando con Pope unos días antes del

rodaje, Smith le mencionó que se le había ocurrido una idea basada en un sueño que había tenido de la banda encerrada en un armario que estaba a punto de caerse en Beachy Head, un lugar en la costa sur inglesa, famoso por los suicidios.

Pope cogió la idea y la desarrolló. Para el rodaje en el estudio, metió a todos los miembros de la banda en un armario que acomodase fácilmente sus peinados y les dio instrucciones muy específicas.

Lol Tolhurst tocaba un teclado en miniatura que sujetaba con la mano. Thompson hacía sonar un peine. Boris Williams seguía la canción dando palmadas. A Simon Gallup le tocó la peor parte: estaba atado y con una bombilla en la boca.

Robert Smith lanzaba miradas a la cámara con ojos de loco manipulando marionetas de dedo de los otros miembros de la banda. Mientras jugaba con cada uno de ellos, el músico correspondiente se retorcía y daba una sacudida: ¿pretendía Pope plasmar el control del cantante sobre el grupo en la vida real?

Entre el humor y la frivolidad, Pope hizo que la escena en el interior del armario fuese cada vez más tétrica y claustrofóbica: era casi un descanso cuando el armario se cae por el acantilado, dando vueltas desde Beachy Head hasta acabar en el mar. Al final del vídeo, parece que la banda se está ahogando.

> “Quería conseguir más público. No tenía nada que ver con ser famoso. Quería que nos escuchasen más personas.”
>
> ROBERT SMITH

PÁGINA ANTERIOR - *Rock 'n' roll* en delantal: la transición de The Cure en la televisión francesa.
SUPERIOR - Portadas de *Quadpus* y *Half An Octupus*.

> Habíamos actuado en clubes con un aforo de mil personas y al año siguiente regresamos y llenábamos estadios de doce mil personas.
>
> BORIS WILLIAMS

Sorprendentemente, Pope había hecho de The Cure un grupo chiflado y divertido, dos adjetivos que nunca se hubiesen podido aplicar a *Faith* o a *Pornography*, pero a la vez mostraba su trasfondo oscuro. «Close To Me» se convirtió en uno de los vídeos pop más icónicos del siglo xx.

El pop «divertido» y «chiflado» generalmente atrae a más público que el «oscuro» y «solemne». Y The Cure no son una excepción. Cuando empezaron la gira de The Head Tour en el Reino Unido, los locales donde iban a actuar eran bastante más grandes de lo habitual, con conciertos en el National Exhibition Centre en Birmingham, con capacidad para doce mil personas y en el estadio más grande de Londres: Wembley Arena.

Lo mismo sucedió en Norteamérica.

«En la gira de *The Top* habíamos actuado en clubes con un aforo de mil personas y al año siguiente regresamos y llenábamos estadios de doce mil personas», recuerda Boris Williams. «Fue un gran salto».

Realmente lo fue. La gira de The Head Tour actuó en estadios en Seattle, San Jose y Toronto durante un viaje de treinta días por Estados Unidos y Canadá, cuyo punto álgido fue el concierto en el Radio City Hall neoyorquino. El éxito de The Cure en Estados Unidos era más rápido que en Europa.

«Cuando terminamos la parte final de la gira en Europa en diciembre, ya tocábamos en inmensos estadios en todas las ciudades», comentaba Tolhurst en *Cured*. «El "enormodomo"», como decían los Spinal Tap».

El contrato discográfico de The Cure con Fiction era en última instancia con Polydor y la importante discográfica era demasiado lista

para no capitalizar semejante explosión comercial. Cuando estaba a punto de finalizar 1985, la compañía les dijo que quería sacar un disco de grandes éxitos.

Robert Smith se dio cuenta de que no tenía forma de evitarlo y temiendo que Polydor publicase un producto mal hecho o mal presentado, optó por involucrarse completamente en el proyecto. Sugirió el título, *Standing On A Beach*, conceptualizó la foto de la portada de un viejo pescador, John Button, y grabó una nueva y pulida versión del tema de The Cure que pudo ser un gran éxito pero no lo fue: «Boys Don´t Cry».

Cuando se reeditó como *single* en abril de 1986, finalmente consiguió lo que se merecía, alcanzando el puesto veintidós en las listas del Reino Unido. Siempre tan obsesionado con los detalles, Smith reunió a la formación original, Tolhurst, un sorprendido Dempsey y él, para rodar el vídeo promocional.

Fiction se dio cuenta del papel fundamental de Tim Pope en la fama de The Cure y lanzó *Standing On A Beach* simultáneamente con una recopilación de los vídeos de la banda titulada *Staring At The Sea*. No podían haber tomado una decisión de marketing más acertada.

Gustase o no —y ciertamente a Robert Smith no le gustaba— a los ojos de muchos fans, The Cure era ahora una banda que sacaba unos *singles* magníficos y que además tenían muchas canciones depresivas que les interesaban menos. Un disco de grandes éxitos era perfecto para los seguidores ocasionales.

PÁGINA ANTERIOR - Actuando en un «enormodomo». Ahoy, Rotterdam, noviembre de 1985.
IZQUIERDA - VHS de *Staring At The Sea*.
DERECHA - En Nueva York, en 1986.

STANDING ON A BEACH

LISTA DE CANCIONES

CARA 1

Killing An Arab
Boys Don't Cry
Jumping Someone Else's Train
A Forest
Primary
Charlotte Sometimes
The Hanging Garden

CARA 2

Let's Go To Bed
The Walk
The Lovecats
The Caterpillar
Inbetween Days
Close To Me
Sinking

Fecha de lanzamiento 6 de mayo de 1986

Grabado de 1978 a 1985, Inglaterra

Producción
Chris Parry (pistas: A1 a A3, B1, B3, B4), Dave Allen (pistas: B4 a B6), Mike Hedges (pistas: A4 a A6), Robert Smith (pistas: A4 a A6, B3 a B6)

Músicos
Robert Smith: voz, guitarra, teclados (pistas: A6 a B3, B5, B6)
Michael Dempsey: bajo (pistas: A1 a A3),
Simon Gallup: bajo (pistas: A4 a A7, B5, B6),
Lol Tolhurst: batería (pistas: A1 a A7), teclados

Diseño de la carátula Parched Art

Sello discográfico Fiction FIXH12

Máxima posición en listas alcanzada tras su lanzamiento
Reino Unido 4, Estados Unidos 48, Australia 13, Francia 5, Alemania 11, Países Bajos 6, Nueva Zelanda 3, Suecia 27, Suiza 11

Notas
Todas las canciones compuestas por Robert Smith excepto si se indica de otro modo. La edición en casete incluye los mismos temas que la edición en vinilo, pero además todas las caras B de la banda que hasta ese momento no se habían publicado en un LP. Esto excluye «10:15 Saturday Night» del *single* de «Killing An Arab» que estaba incluida en el álbum *Three Imaginary Boys*; «Plastic Passion» del *single* de «Boys Don't Cry» incluida en el álbum recopilatorio *Boys Don't Cry*; y las cinco caras B de los *singles* «Let's Go To Bed», «The Walk» y «The Lovecats», publicadas en el álbum recopilatorio *Japanese Whispers*.

THE CURE · STANDING ON A BEACH · THE SINGLES

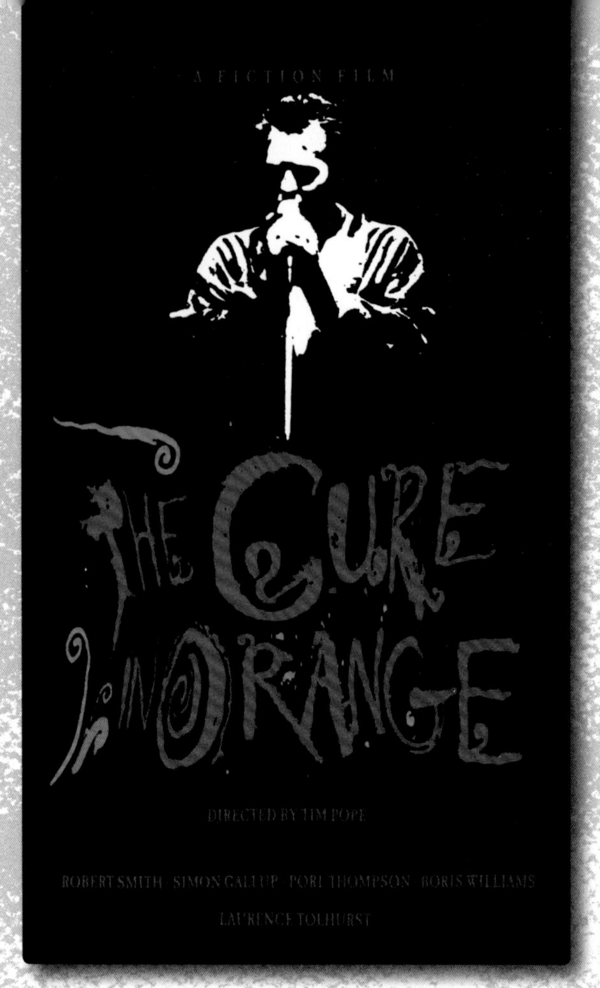

Cuando se lanzó en mayo, *Standing on a Beach* alcanzó de la noche a la mañana el número cuatro en las listas de los mejores álbumes. La banda lo celebró viajando al sudoeste de Inglaterra para encabezar el cartel del enorme Glastonbury Festival y tocar ante más de 100 000 personas.

«En cuanto salimos al escenario, empezó a llover», recuerda ahora Boris Williams. «Pero fue una experiencia increíble».

El hecho de que encabezasen el cartel era un reconocimiento al gran tirón comercial de The Cure —pero también supuso otro ejemplo más de lo difícil que era Smith y de su espíritu de contradicción—. Contrario como siempre a hacer gestos para complacer al público, apenas se movió en toda la actuación, cosa normal en él, e insistió en que los bises fuesen de *Faith* y de *Pornography*.

Sin embargo, daba la sensación que si quería Robert Smith podía aparecer siempre en el escenario con bombachos de lunares, que no iba a cambiar la velocidad a la que estaba ascendiendo The Cure. En julio, la banda regresó a Estados Unidos para realizar una gira de tres semanas de *Standing On A Beach*, y volvió a visitar muchos de los «enormodomos» en los que habían actuado meses antes.

La gira sufrió un desgraciado incidente el 27 de julio en Los Angeles Forum: Jonathan Moreland, un enfermo mental de treinta y ocho años que acababa de salir de un psiquiátrico en el que había estado internado durante diez años, se apuñaló varias veces con un cuchillo de caza para «impresionar a una chica».

En la leyenda de The Cure se cuenta que el hombre murió; muchas biografías de la banda plasman este error. Pero aunque el incidente retrasó el comienzo del concierto en el Forum, los paramédicos lograron salvar la vida de Moreland.

Aparte de esta desgracia, la gira de *Standing On A Beach* fue un éxito y Smith pronto dejó de tocar *Faith* como último bis para inclinarse por «Killing An Arab». De nuevo, esto podría percibirse como un acto intencionado de obstinación malsana.

Ocho años después de la polémica que provocó en el Reino Unido, «Killing An Arab» molestaba en Estados Unidos y fue condenada por la Liga Árabe Americana. Incluso Elektra, la discográfica estadounidense, le pidió a Smith que la eliminase de *Standing On A Beach*, pero en lugar de hacerlo, escribió una nota explicativa para pegar en el álbum:

> «La canción «Killing An Arab» no tiene ninguna connotación racista. Condena la existencia de todos los prejuicios y de la violencia consiguiente. The Cure condena su utilización para fomentar un sentimiento antiárabe».

SUPERIOR, IZQUIERDA - *Backstage* en el Glastonbury Festival, en 1986.
SUPERIOR, DERECHA - Portada del VHS *In Orange*.
PÁGINA SIGUIENTE - De gira con el álbum de grandes éxitos que les abrió las puertas de Estados Unidos.

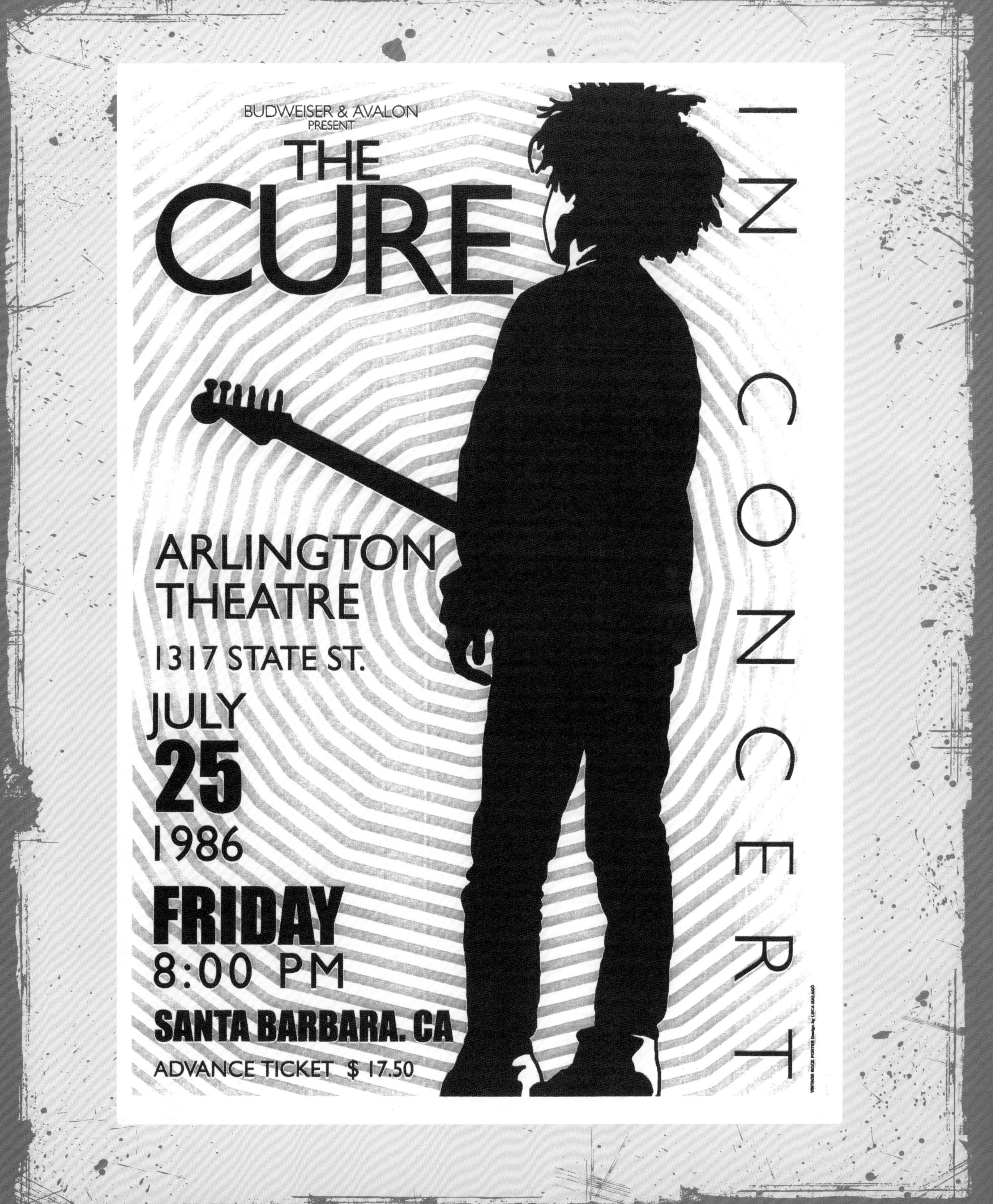

BUDWEISER & AVALON
PRESENT

THE CURE

IN CONCERT

ARLINGTON
THEATRE

1317 STATE ST.

JULY
25
1986

FRIDAY
8:00 PM

SANTA BARBARA. CA

ADVANCE TICKET $ 17.50

VINTAGE ROCK POSTER Design by LUCA MALAGO

Los fans estadounidenses leyeron la pegatina, se encogieron de hombros y compraron el disco. A principios de 1987, *Standing On A Beach* ya era disco de oro en Estados Unidos: treinta años después es doble platino. Es el álbum que conquistó Estados Unidos.

«*Standing On A Beach* fue un gran éxito comercial», confirmaría Smith años más tarde. «Todo lo que siempre había deseado hacer se estaba materializando. De repente me di cuenta de que podía realizar un montón de cosas con la banda».

Ciertamente, The Cure tenía el mundo a sus pies. Podían hacer lo que quisiesen... así que grabaron el álbum más extravagante, variado, irresponsable y descontrolado de toda su carrera. Simplemente porque podían permitírselo.

The Cure evitaron los estudios londinenses y se fueron en otoño de 1986 al complejo de Miraval en el sur de Francia. Situado en los terrenos de un castillo provenzal del siglo XVII, en una región de viñedos entre Niza y Marsella, ofrecía a sus usuarios piscina, sala de juegos y... soledad total.

INFERIOR - En la televisión francesa, 1986
PÁGINA SIGUIENTE - «De repente me di cuenta de que había un montón de cosas que podía hacer con la banda».

«Estaba en medio del campo», cuenta Boris Williams. «Todos nos alojábamos en edificios externos y en establos. Yo estaba en una capilla del siglo XVIII que habían reconvertido en alojamiento».

La banda se puso a trabajar en el álbum que se titularía *Kiss Me Kiss Me Kiss Me*. Esta vez la metodología iba a ser muy distinta a la de *The Head On The Door*, cuando Robert Smith había llegado al estudio con el álbum prácticamente compuesto.

«Todos nos pusimos a escribir», explica Williams. «Yo solía hacerlo con Porl Thompson. Todos proponíamos ideas y grabábamos en cintas pequeñas canciones, melodías y apuntes. Después, nos reuníamos y nos las tocábamos unos a otros. Teníamos un sistema de votación en el que las puntuábamos sobre cinco o sobre diez, para decidir con que ideas queríamos continuar. Obviamente, Robert tenía la última palabra, nunca trabajaría en un tema ni compondría la letra si no le gustase de verdad. Pero en realidad, era un trabajo en equipo».

Lamentablemente, uno de los miembros del grupo no aportaba nada. El problema de Lol Tolhurst con la bebida se había agravado durante el reciente proceso hacia el estrellato de The Cure. En Miraval, a Smith le parecía un «personaje patético».

Tolhurst tuvo muy poco que decir o contribuir a *Kiss Me Kiss Me Kiss Me*. Era para el grupo un lastre borracho. Tras pelearse una noche con Lydia, su novia, salió en la oscuridad y se despertó al día siguiente tumbado en un viñedo lleno de cortes y magulladuras.

Tolhurst se negaba rotundamente a aceptar la realidad y rechazó con brusquedad la sugerencia de Porl Thompson de ingresar en un centro de rehabilitación. Aunque a los miembros de The Cure en general les daba pena la situación de su colega, esa pena empezaba a convertirse con rapidez en enfado y desdén.

«Robert cada vez se sentía más frustrado porque Lol no estaba bien para contribuir al disco», recuerda Williams. «Muchas veces él o Porl acababan tocando los teclados».

Pero incluso con Tolhurst fuera de juego, The Cure se encontraban en una racha notablemente fértil para componer en Miraval. Un gran número de canciones pasaban la votación en las reuniones de grupo y hacían demos. Tenían la seguridad de una banda que se daba cuenta de que el mundo se estaba enamorando de ellos.

«Hicimos demos del doble de canciones que acabamos grabando», cuenta Williams. «Desde el principio era obvio que *Kiss Me Kiss Me Kiss Me* iba a ser un álbum doble».

Es evidente que en circunstancias normales, la compañía discográfica hubiese tenido algo que decir sobre el hecho de que su banda grabase un disco doble caprichoso, caótico y difícil de comercializar. Pero Robert Smith ya hacía mucho tiempo que había dejado claro que Fiction no tenía nada que decir sobre lo que The Cure le daba para editar. Tenía que aguantarse.

De hecho, cuando su mánager y director de la discográfica se pasó por Miraval para ver cómo iba todo, le gastaron una buena broma, como recuerda Williams:

> «Chris Parry navegaba de Inglaterra a Nueva Zelanda e hizo una parada en el sur de Francia para ver qué tal iba todo.
>
> Cuando nos enteramos que venía, grabamos tres canciones un poco descompasadas y desafinadas, que sonaban bastante mal. Cuando apareció, le dijimos: "Por ahora hemos grabado tres canciones y nos gustan mucho".
>
> Le pusimos a Chris las horribles cintas y él se quedó sentado intentando parecer positivo y siguiendo el ritmo con el pie, pero estaba claro que estaba pensando: "¡Por Dios! Lleváis aquí dos meses ¿y esto es lo que tenéis? ¡Suena fatal!".

“Obviamente, Robert tenía la última palabra, nunca trabajaría en un tema ni compondría la letra si no le gustase de verdad. Pero en realidad, era un trabajo en equipo.”

BORIS WILLIAMS

KISS ME KISS ME KISS ME

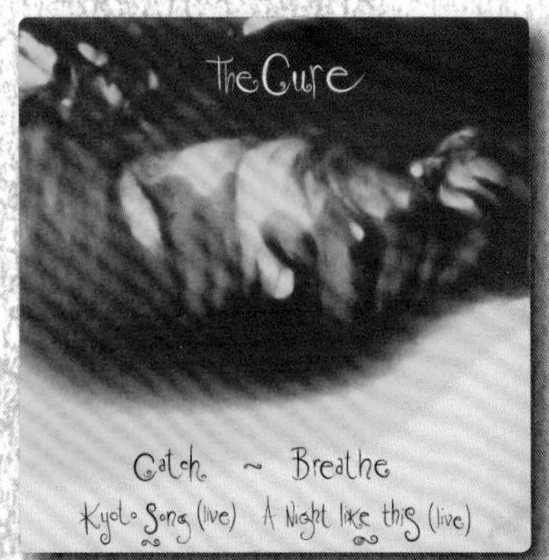

LISTA DE CANCIONES

CARA 1
The Kiss
Catch
Torture
If Only Tonight We Could Sleep

CARA 2
Why Can't I Be You?
How Beautiful You Are...
The Snakepit
Hey You!!!

CARA 3
Just Like Heaven
All I Want
Hot Hot Hot!!!
One More Time
Like Cockatoos

CARA 4
Icing Sugar
The Perfect Girl
A Thousand Hours
Shiver And Shake
Fight

Fecha de lanzamiento 25 de mayo de 1987

Grabado en Studio Miraval (Francia)

Producción
Producción e ingeniería de sonido: Dave Allen y Robert Smith

Músicos
Robert Smith: guitarra, teclados, voz
Lol Tolhurst: teclados
Porl Thompson: guitarra, teclados
Simon Gallup: bajo
Boris Williams: batería, percusión
Andrew Brennen: saxofón en «Icing Sugar» y «Hey You!!!»

Diseño de la carátula Parched Art

Sello discográfico Fiction FIXH 13

Máxima posición en listas alcanzada tras su lanzamiento
Reino Unido 6, Estados Unidos 35, Australia 9, Francia 2, Alemania 4, Países Bajos 3, Nueva Zelanda 14, Suecia 13, Suiza 3, Austria 4

Notas
Todas las letras compuestas por Robert Smith; toda la música compuesta por The Cure. El tema «Hey You!!!» no estaba incluido en el CD original, pues los CD de esa época solo tenían capacidad para 74 minutos de audio. En la reedición del álbum en 2006, se incluyó esta canción porque la tecnología había mejorado y permitía una mayor capacidad de audio, hasta 80 minutos.

The Cure
Kiss Me Kiss Me
Kiss Me

DERECHA - Tren en vano: The Cure en el Orient Express, en 1986.

Cuando se acabaron las canciones, se recostó, hinchó los mofletes y dijo: "¡Vaya! No sé qué decir...". Le dejamos sufrir unos minutos más y al final se lo contamos. "¡Qué cabrones!", exclamó.

Muchas veces tratábamos a Chris así. Sinceramente, creo que Lol descansaba cuando Chris estaba con nosotros, porque, para variar, podíamos hacerle bromas a otro».

Pero, ¿qué pensó Parry cuando The Cure entregó el *master* de grabación de *Kiss Me Kiss Me Kiss Me*? Era un batiburrillo, un álbum multifacético y monstruoso, enorme y caprichoso. No era en absoluto un producto coherente y cohesivo.

LISTA DE LECTURAS

«How Beautiful You Are»
La letra es casi idéntica a *Les yeux des pauvres* (*Los ojos de los pobres*) de Charles Baudelaire. El poema empieza: «¿De modo que quieres saber por qué te odio hoy?».

Si The Cure en los últimos años habían sufrido una cierta propensión a la esquizofrenia —¿qué eran, los niños mimados del *indie-rock* sombrío o unas descontroladas estrellas del pop?— habían logrado una solución nueva: seamos las dos cosas a la vez y todo lo que venga. ¿No te gusta esta versión de The Cure? No te preocupes, en un minuto viene otra.

Gallup se refería a este disco como «el álbum K-Tel de The Cure».

Había temas de la vieja escuela dominados por la angustia como «The Kiss», el primero, con sus cuatro minutos iniciales de reverberación de guitarra, «Torture» y «Fight». «A Thousand Hours», en el que un Smith que sonaba afligido gemía: «¿Cuánto tiempo más podré aullar al viento? ¿Cuánto tiempo más podré llorar así?».

Para que el tren de la escalada de puestos en las listas de éxitos siguiese en marcha, había perlas pop desenfadadas y alegres: «Why Can't I Be You?», una explosión de alegría llena de júbilo, y «Just Like Heaven», una preciosa canción de amor que te hace bailar.

«Just Like Heaven», que según confesó Smith, musicalmente debe mucho a «Another Girl, Another Planet» de The Only Ones, era una canción de amor dedicada a Mary Poole e inspirada en un viaje que la pareja había realizado a Beachy Head. Tim Pope regresó a la escena del crimen de «Close To You», para rodar el vídeo de esta canción en la que hace una discreta aparición Poole.

Kiss Me Kiss Me Kiss Me, que fue lanzado en mayo de 1987 con una foto en la portada de los labios de Smith embadurnados de carmín, alcanzó la estratosfera pop y llegó al puesto número seis en las listas de éxitos del Reino Unido y entró en el Top 40 y al final fue platino en Estados Unidos. The Cure se lanzó a viajar por el mundo para disfrutar este triunfo, y aprendió que el éxito tiene un precio.

SUPERIOR, IZQUIERDA - Disco entrevista de *Kiss Me, Kiss Me, Kiss Me.*
INFERIOR, IZQUIERDA - *The Catch*, vinilo con dibujos.
SUPERIOR, DERECHA - *Just Like Heaven*, vinilo con dibujos.
INFERIOR, DERECHA - Vinilo naranja de *Kiss Me, Kiss Me, Kiss Me.*

DESMORONÁNDOSE EN LA CIMA DEL MUNDO

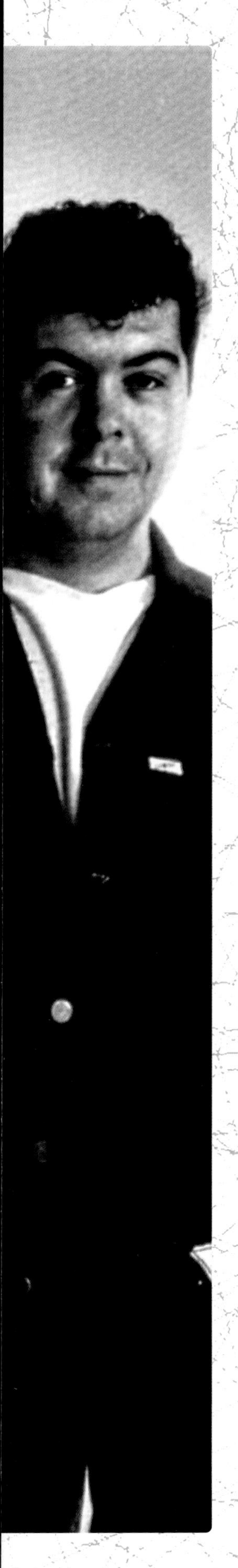

> «Oíamos gritos y el estrépito del cristal al romperse que venían desde el fondo de los camerinos, dos horas antes de que empezase el concierto.»
>
> ROBERT SMITH

PÁGINA ANTERIOR - A Robert Smith le costaba la fama.
IZQUIERDA - Tensiones tras las sonrisas, 1987.

Robert Smith era conocido desde hacía mucho tiempo. Como rostro reconocible de una banda que ya llevaba, en 1987, una década en el candelero, estaba acostumbrado a que le acosasen en la calle y a que invadieran ocasionalmente un poco su privacidad.

No estaba acostumbrado a la fama y la celebridad a gran escala ni a ser el centro de un fenómeno que solo podía llamarse «curemanía».

La primera señal de que su vida estaba a punto de cambiar llegó cuando Mary Poole y él hicieron un corto viaje de vacaciones en coche por Francia donde, después de terminar el álbum *Kiss Me Kiss Me Kiss Me*, había muchos fans de The Cure. Smith, un hombre que no pasaba desapercibido, quedó horrorizado al ver admiradores de The Cure congregados en el exterior de todos los hoteles donde se alojaron.

Pero esto solo fue una pequeña muestra de lo que vendría. La verdadera evidencia de que las normas de juego de The Cure habían cambiado para siempre llegaría del otro lado del planeta.

Tras varias semanas de ensayos en Bray, cerca de Dublín, durante las que Tim Pope había rodado el anárquico vídeo de «Why Can´t I Be You?», The Cure volaron en marzo a Sudamérica para tocar sus primeros conciertos allí. Iba a ser un viaje que nunca olvidarían.

La gira empezó en Argentina y Boris Williams confiesa que antes de su llegada al país había inquietud entre los miembros de la banda.

«No hacía mucho de la guerra de las Malvinas y nos esperábamos una recepción fría», dice, para continuar con un comentario tremendamente mesurado: «Fue exactamente lo contrario. Estaban muy contentos de que estuviésemos allí».

Ya lo creo. Cuando llegaron al Aeropuerto Internacional Ministro Pistarini de Buenos Aires, subieron a un coche y durante el camino al hotel fans enfervorizados les siguieron saludando con las manos. Sin embargo, los problemas empezaron la noche siguiente.

Tenían que tocar dos noches en el estadio del equipo local, el Club Ferro Carril Oeste, un recinto con un aforo de 20000 personas, y The Cure llegó el 17 de marzo para encontrarse con escenas de un caos aterrador.

«Oíamos gritos y el estrépito del cristal al romperse que venían desde el fondo de los camerinos, dos horas antes de que empezase el concierto», explicó Smith a la revista *Q*. «Cuando salimos al escenario, parecía que el estadio entero estaba en llamas».

Resultó que a muchos espectadores les habían vendido entradas falsas e indignados porque no les dejaban entrar, habían iniciado una batalla campal con la policía. Durante el concierto, estalló un motín con proyectiles en llamas lanzados a través del estadio.

Mataron a tres perros de la policía y un vendedor de perritos calientes murió de un ataque al corazón durante los enfrentamientos, pero The Cure consiguió acabar su actuación. La policía, determinada a evitar que se repitiesen las mismas escenas en el concierto de la noche siguiente, tomó medidas extraordinarias.

“Llevamos una vida extraña, mimados por personas que nos lo hacen todo.”

ROBERT SMITH

Con la esperanza de calmar la tensión, las autoridades hicieron instalar una gran barrera temporal... delante del escenario. «Nos dijeron que la gente se apartaría de la barrera para ver la actuación», se maravillaba Smith. «¿Pero cómo se iba a apartar? ¡Si había diecisiete mil personas apretujadas en el estadio!».

Sus miedos se hicieron realidad. En el concierto de esa noche, los fans tiraron la barrera que les impedía ver el escenario y empezaron a pelearse a puñetazos, o peor, a pegarse con los de seguridad que intentaban detenerlos.

«Los de seguridad pegaban a los que estaban delante con trozos de tubos», informó Smith desde la zona de guerra. «A mí me golpeó la cabeza una botella voladora y me pasé un minuto gritando a la multitud y a los de seguridad. Acortamos la actuación después de hora y media porque todos recibimos impactos de objetos voladores».

The Cure sabían que habían vendido más de 400 000 álbumes en Sudamérica a lo largo del año anterior, pero no se habían esperado ni por asomo semejante adulación. La gira continuó hacia Brasil, donde «Boys Don´t Cry» era en ese momento el *single* más vendido en todo el país; a Smith le horrorizó enterarse de que la gira estaba patrocinada por Wrangler, la marca de vaqueros.

La banda necesitó que la policía armada les escoltara del hotel a los lugares donde actuaban, por ejemplo el estadio Gigantinho en Porto Alegre; allí la instalación eléctrica defectuosa en la parte del escenario les dio descargas eléctricas. Como habían decidido viajar en autocar para ver mejor el país, en todos los cruces se encontraban con fans enfervorizados.

Semejante adulación se te puede subir a la cabeza. En el *backstage* del estadio Maracaná en Río de Janeiro, a Robert Smith le dio una rabieta de estrella de *rock* en toda regla porque no le habían preparado un zumo de naranja.

«Tengo que vigilarme todo el tiempo», se disculpó más tarde ante un periodista musical británico que les acompañaba en la gira americana. «Llevamos una vida extraña, mimados por personas que nos lo hacen todo. Por eso nos estamos tomando el pelo entre nosotros continuamente. Tenemos que conservar la cordura o acabaremos como Duran Duran».

De regreso a Londres, la banda respiró hondo después de la locura; excepto Tolhurst, perpetuamente borracho, que pasó la noche en una celda de la comisaría después de uno más de sus percances de borracho. No obstante, cuando retomaron la gira de *Kiss Me Kiss Me Kiss Me* llamada de The Kissing Tour en Norteamérica, en julio, la presión y el ritmo fueron igual de implacables.

Con *Kiss Me Kiss Me Kiss Me* en el Top 40 en Estados Unidos y camino de ser platino, The Cure eran ahora en ese país auténticas estrellas del *rock* que llenaban estadios, como The Rolling Stones y Bon Jovi, de la magnitud del Red Rocks Amphitheatre y el San Diego Sports Arena antes de terminar esa parte de la gira en el Madison Square Garden de Nueva York.

DERECHA - The Cure en Brasil: «¿vaqueros Wrangler? ¿En serio?».
PÁGINA ANTERIOR - Una superestrella renuente.

“No entendía qué hacía en la banda.”

ROGER O’DONNELL

Como explicó en *Cured*, el último concierto tuvo una especial relevancia para Lol Tolhurst. O debió de haberla tenido:

> «Tocar en el Madison Square Garden era un sueño de la niñez hecho realidad. Solía leer sobre él cuando de adolescente ponía el precio a los periódicos en Horley. Siempre había una crítica desde Madison Square Garden en Nueva York y yo dejaba que la mente divagara y fantasease sobre tocar allí. Y ahora era una realidad...
>
> [Sin embargo], no importaba cuánta gente viniese a los conciertos ni cuántos discos vendíamos. En lo más profundo de mi ser, me sentía desesperadamente vacío y mi soledad era un inmenso agujero que mi adicción no podía llenar... no había fama ni adoración que atenuase mi sufrimiento y ni alcohol ni drogas suficientes que me anestesiasen».

Tolhurst llevaba mucho tiempo hecho un desastre, pero ahora estaba en caída libre. Durante la gira norteamericana de *Kiss Me Kiss Me Kiss Me*, Smith se dio cuenta de que su amigo ya no era lo que había sido en el escenario. Como necesitaba refuerzos en los teclados, recurrió a Boris Williams.

«Cuando Robert decidió que Lol no era capaz de tocar las partes de teclados, me dijo: "Tú has estado en varios grupos, seguro que conoces a algún teclista"», recuerda Williams. «Supongo que me preguntó a mí porque el resto de los miembros de la banda solo habían estado en The Cure».

Williams recomendó a Roger O´Donnell, que previamente había tocado con The Psychedelic Furs y también con Williams en los Thompson Twins. Con O´Donnell en el grupo, Porl Thompson pudo centrarse en los directos solo en la guitarra, en lugar de tener que ayudar a Tolhurst con los teclados.

Pero cuando llegó, O´Donnell se quedó sorprendido de la casi nula participación musical de Tolhurst.

«No entendía qué hacía en la banda», admitió años después. «Se podría haber permitido contratar a un profesor y tener clases dia-

DERECHA - «¿Podemos reunirnos con el estilista?». The Cure en 1987.

rias, pero no estaba interesado en practicar. Solo le gustaba formar parte del grupo».

La llegada de O´Donnell supuso el reconocimiento formal de que Tolhurst era un peso muerto en The Cure y su prestigio en la banda cayó más. A medida que la frustración por su incapacidad aumentaba, el grupo se ensañaba más con el chivo expiatorio.

«En cierto modo, me daba pena Lol, pero también había una pérdida de respeto», admite Boris Williams. «Éramos un grupo de músicos intentando hacerlo lo mejor posible y Lol se pasaba el tiempo emborrachándose. Lol estaba mal y se convirtió en el chivo expiatorio de la banda. Mirando atrás, me avergüenzo de que fuese así. Nunca llegó a ser un acoso físico, pero lo ridiculizábamos continuamente y eso puede ser igual de dañino».

O´Donnell confesaría que la forma despectiva en que la banda trató a un Tolhurst enfermo en la gira europea de The Kissing Tour en otoño fue «horrible». Con su característica mordacidad, Smith describiría el acoso de la banda a su amigo como «ver cómo a un niño discapacitado que le están pinchando constantemente con una vara». Era evidente que no se podía seguir así.

1987 había sido un año agotador. The Cure había pasado parte del año en la carretera, llenando estadios deportivos por todo el mundo, para terminar la gira de The Kissing Tour en casa, en Londres.

Un concierto en Wembley Arena ya no era suficiente: se agotaron las entradas para tres conciertos. La última y festiva noche, el 9 de diciembre, cerraron el inaudito cuarto bis con una ruidosa versión del perenne tema favorito de Slade: «Merry Christmas Everybody».

Habría cabido esperar que con el año 1988 a punto de empezar, Robert Smith se sintiese en la cima del mundo. Pero lo cierto, es que sentía justamente lo contrario.

«Me convertí en propiedad pública y no estaba preparado para el nivel que habíamos alcanzado», confesaría. «Era de fanáticos. De repente me reconocían en todas partes de Estados Unidos y cuando regresé a Londres había treinta o cuarenta personas acampadas delante de mi piso».

«Al final de esa gira [The Kissing Tour], mi personalidad había cambiado mucho», admitió a *Uncut* en 2000. «Me había convertido en una estrella engreída que pretendía no ser una estrella del pop, solo vivir de ello. Me di cuenta de que no podía seguir así».

Robert Smith nunca había querido ser una estrella del pop. Se había dedicado a la música por el deseo de evitar una vida rutinaria y de crear una obra duradera y significativa. Instintivamente, su música era reflexiva, melancólica, a veces masoquista.

Entonces, ¿cómo se había convertido en una caprichosa superestrella, cantando a gritos sobre gatos y orugas, dando saltos disfrazado en MTV y perseguido por gritones jóvenes aficionados al pop allá donde fuera? ¿Cómo se había llegado a *esto*?

Smith empezaba a darse cuenta de que muchas de las cosas que le estaban sucediendo no le gustaban y quería ponerles fin. Sentía como si The Cure hubiesen perdido el norte y se alejasen de lo que habían sido, de lo que él quería que fuesen.

«En ese momento me di cuenta de que pese a todos mis esfuerzos, nos habíamos convertido en todo lo que yo no quería», reflexionó años después: «en una banda de *rock* de estadio».

PÁGINA ANTERIOR - The Cure en Berlín, en 1987.
SUPERIOR - Portada del libro *Ten Imaginary Years*.
SUPERIOR, DERECHA - «Me había vuelto muy engreído».

"Me convertí en propiedad pública y no estaba preparado para el nivel que habíamos alcanzado. Era de fanáticos."

ROBERT SMITH

Había otro factor que también pesaba mucho. Subyugado en su juventud por artistas como Jimi Hendrix y Joy Division, siempre había querido que The Cure crease un álbum inmaculado y sin igual que estuviese a la altura de *Are You Experienced* o *Still*: un gran clásico que entrase en el canon musical.

Seguía queriendo hacerlo, ahora más que nunca, pero sentía que se le acababa el tiempo. El próximo año, 1989, cumpliría treinta años.

«Había querido hacerlo todo antes de cumplir los treinta», confesaría años después. «Es como una paradoja: creo que cuanto más joven eres, más te preocupa hacerte viejo. En mi caso es así».

Igual de paradójica era la consternación de Smith por el éxito mundial de The Cure, pues cada vez tenía más la sensación de que lo habían conseguido traicionando los principios fundamentales del grupo, o más bien los suyos.

Refugiado en Londres con Mary Poole, inquieto, nervioso y deprimido, incluso volvio a consumir LSD, un estupefaciente estimulante que apenas había probado desde el proyecto de The Glove con Severin.

Smith consideraba que era ahora o nunca. Quería componer el gran álbum clásico que deseaba más que otra cosa. Quería devolverle a The Cure el espíritu de *Seventeen Seconds*, *Faith* y *Pornography*.

Mientras los otros miembros del grupo descansaban, estaban de vacaciones y disfrutaban de sus saldos bancarios ahora bien hinchados, Robert Smith empezó a componer música solo: sinfonías oscuras, contemplativas, alternativamente atribuladas y beatíficas que giraban en torno a su actual estado de temor existencial. Estaba claro que no se trataba de canciones que necesitasen vídeos con gatos bailando o estrafalarios chanchullos en armarios.

Ahora bien, ¿eran canciones de The Cure?

Smith, aficionado a proyectos secundarios, hacía mucho tiempo que contemplaba la posibilidad de grabar un álbum en solitario. Quizá era la única manera de capturar la esencia de lo que deseaba decir. ¿Sería este proyecto ese disco?

Decidió poner las demos de sus nuevas canciones al resto del grupo. Si palidecían ante su depresiva nueva dirección, las grabaría él solo en un ábum de Robert Smith.

A principios de la primavera, The Cure se reunieron en la casa de Boris Williams en el sudoeste de Inglaterra. Para alegría de Smith, todos quedaron impresionados con los temas lacrimógenos pero a la vez majestuosos que había compuesto.

«Nos reunimos en mi casa en Devon y Robert nos puso una cinta con las canciones que había compuesto», recuerda Williams. «Nos gustaron las canciones, pero enseguida vimos que sería un álbum mucho más oscuro y más cohesivo que *Kiss Me Kiss Me Kiss Me* que, si somos sinceros, fue como un bolsa donde todo cabía. Era evidente que este era un proyecto mucho más serio».

«Mi casa tenía un ala que era básicamente un establo con un tejado de zinc y decidimos con antelación utilizarla para grabar las demos. Era perfecta, aunque Robert dijo que necesitábamos una mesa de billar, como siempre, así que la pusimos».

PÁGINA ANTERIOR - «¡Oh no! Somos una banda de *rock* de estadio».
SUPERIOR - En el Giant Stadium, en New Jersey, en agosto de 1989.

> «Nos gustaron las canciones, pero enseguida vimos que sería un álbum mucho más oscuro.»
>
> BORIS WILLIAMS

> Como alcohólico tenía una doble enfermedad que significaba que nunca podría volver a beber si quería tener una vida feliz.
>
> LOL TOLHURST

En Devon hicieron más de treinta demos de las canciones compuestas por Smith y después cada uno se fue por su lado. Smith se pasó el verano escribiendo letras y el 13 de agosto se casó con Mary Poole en Worth Abbey, donde Malice había tocado por primera vez once años antes. Simon Gallup fue el padrino.

En noviembre, se reunieron en los Hook End Studios, cerca de Reading, con el coproductor preferido de Smith, Dave Allen. Si quedaba alguna duda, Smith inmediatamente dejó claro que este álbum, *Disintegration*, iba a ser «un proyecto mucho más serio».

«Todo el mundo esperaba que compusiese canciones que fuesen una continuación de "Just Like Heaven"», explicó tiempo después. «Pensaban que al final íbamos a hacer algo ligero y alegre con el ocasional tema pesimista, pero hicimos justo lo contrario. Cuando íbamos a grabar el álbum, decidí que me comportaría como un monje y que no hablaría con nadie. Pensándolo ahora, resultaba un poco pretencioso, pero quería conseguir un ambiente que resultase un poco desagradable».

Smith es famoso por exagerar las cosas en las entrevistas y a Boris Williams, por su parte, le cuesta reconocer la descripción del cantante del ambiente durante la grabación de *Disintegration*: «Todos nos reíamos y bromeábamos, como siempre», recuerda.

Lol Tolhurst estaba de nuevo presente en cuerpo pero no en alma en Hook End. Al fin había reconocido que tenía un problema con el alcohol y había entrado en un programa de desintoxicación durante el verano y había pasado un mes en el Lister Hospital de Londres dirigido por Alcohólicos Anónimos.

«Me explicaron que, como alcohólico, tenía una doble enfermedad que significaba que nunca podría volver a beber si quería tener una vida feliz», escribió en *Cured*. «Si lo hacía, acabaría en la cárcel, en una institución o muerto».

Sin embargo, Tolhurst se había dado de alta del Lister Hospital al terminar la semana, recayó y empezó a beber de nuevo tan solo dos semanas después. Para cuando llegó a Hook End, tenía de nuevo el aspecto de un hombre condenado, el despojo borracho que sus compañeros habían acabado por deplorar.

Seguían ridiculizándolo y pinchándolo: «La forma en que lo tratábamos era una puta locura», diría Smith después. Pero esta vez, con O'Donnell en los teclados, había una diferencia. En los álbumes anteriores, los compañeros de Tolhurst le provocaban para intentar que tocase. Ahora, nadie esperaba que hiciese nada excepto ser un inútil.

«Robert ignoraba a Lol cada vez más», recuerda Williams. «Simplemente no se comunicaba con él en absoluto». Tolhurst se pasó casi todas las sesiones de grabación del álbum mirando MTV.

Smith tenía asuntos mucho más importantes en su cabeza que la decadencia de su teclista. Se encontraba en Hook End para crear su obra magna: el álbum con el que deseaba que The Cure fuese definido. Cuando lo terminó, fue de nuevo un duro crítico que sostuvo que no lo había logrado.

Disintegration fue un documento extraordinario. Como *Faith* y *Pornography*, era una incursión claustrofóbica en los rincones más oscuros y recónditos de la mente de Smith. Sin embargo, donde esos álbumes revelaban la ambición adolescente de parecer más maduros y con más peso, ahora la desesperación existencial se percibía real. Era auténtica.

Secundado por el sonido estratificado y lleno de texturas aportadas por O'Donnell, *Disintegration* era una especie de remolino, una misiva sinfónica desde el corazón de las tinieblas de Smith; un disco que mostraba los sentimientos que para The Cure antes eran una pose, algo confuso. Aquí Robert Smith suspiraba, pensaba en voz alta: un muchacho en su volcán.

«Plainsong» arrancaba el álbum, si se puede decir así, una letanía opulenta y a la vez fúnebre en la que la voz de Smith emergía de entre el sonido de los sintetizadores como un hombre que se está ahogando e intenta escapar de la fuerte corriente. Susurraba palabras sobre la lluvia y el fin del mundo y todo encajaba: era una música inevitable, implacable, elemental.

DERECHA - «Decidí que iba a ser como un monje y no hablar con nadie».

La inquietante «Pictures Of You« tenía más ritmo. En *The Head On The Door* o en *Kiss Me Kiss Me Kiss Me* hubiese sido una melodía traviesa, ligera. Aquí, sin embargo, rezumaba el dolor visceral de la añoranza y la pérdida mientras Smith miraba fotografías en sepia, deseando recuperar la pasión que encerraban.

El disco se desarrollaba a un ritmo majestuoso, sereno, como si de algún modo tuviese que aceptar el dolor emocional que plasmaba. Los fantasmagóricos sintetizadores de «Closedown» recordaban la pena espectral de Joy Division, pero esta extraña tristeza se percibía auténtica, genuina, esencial.

«Lovesong» podría decirse que era una anomalía en *Disintegration*: más que una triste introspección parecía irradiar una tranquila satisfacción. Era exactamente lo que pretendía ser: un canto de devoción a Mary Poole, la mujer de Smith y su amiga desde siempre.

«Es una clara muestra de sentimientos», explicaría. «Sin intención de parecer inteligente. Me ha costado diez años llegar al punto en el que me siento cómodo cantando una canción de amor muy directa. En el pasado, siempre sentía en el último momento la necesidad de disfrazar el sentimiento».

La bonita «Lovesong» también era el único tema del disco que duraba menos de cuatro minutos; *Disintegration* tiene muchas cualidades, pero la brevedad no es una de ellas.

El álbum se percibía como una entidad estética completa, delicadamente tejida, aunque hay temas que sobresalen. «Lullaby» conseguía ser a la vez oscura como la boca del lobo y veleidosa, con Smith volviendo a su antigua costumbre de alabar coquetamente a un animal en una irresistible melodía, en este caso, una araña que se lo iba a comer en la cama (era, como «Close To You», una referencia a una reciente pesadilla).

«Fascination Street», marcada por el rasgueo del bajo, era otro claro tema destacado, con una letra seductoramente impenetrable pero a la vez amenazadora. «Prayers For Rain», con su eco y su reverberación, sonaba como poesía yerma y frágil declamada desde el final de una soga: ¿quién estaba estrangulando, enredando y fracturando a su pálido protagonista?

Sin embargo, se podría decir que los temas fundamentales de *Disintegration* venían casi al final. Con más de nueve minutos de duración, «The Same Deep Water As You» sonaba como una canción para cantársela a una amante desde el lecho de muerte; el romanticismo rara vez ha sonado tan herido, tan triste y, diría, tan gótico.

Cuando Smith gime: «Despídete con un beso, dámelo antes de que me duerma», tenía más en común con Percy Shelley que con Pete, su antiguo héroe musical.

A continuación, el tema que da título al álbum parecía un *mea culpa* de antiguos pecados acompañado por los fantásticos acordes del bajo de Simon Gallup y el sonido sutil y nostálgico de los sintetizadores de O´Donnell. ¿Se confesaba Smith de excederse en el consumo de drogas o de infidelidades sexuales («el beso de la traición»)? ¿A quién iba a «dejar con niños» y por qué lloraba lágrimas de cocodrilo? Se trataba de una letra increíblemente inteligente: el *summum* de las letras de Smith.

No había duda de que *Disintegration* era una obra de genio musical morbosamente oscuro, el disco que Robert Smith había deseado hacer desde la primera vez que entró en un estudio de grabación, pero ¿cómo era de accesible? ¿Gustaría a los numerosos seguidores de The Cure que deseaban más «Love Cats» e «Inbetween Days»?

Inevitablemente, algunas personas pensaron que no. Tras haber volado a Inglaterra para escuchar algunos de los temas del disco que se estaba grabando, los ejecutivos de Elektra, la discográfica estadounidense de la banda, se quedaron consternados y se marcharon del estudio sin hacer comentarios. La semana siguiente escribieron a Smith acusándole de ser «deliberadamente críptico» y que pretendía un suicidio comercial.

Smith no se iba a desviar de su propósito: «Me di cuenta de que las [compañías] discográficas no tenían ni puta idea de lo que hacía The Cure y de lo que significaba The Cure», comentó, y organizó en los RAK Studios de Londres las últimas mezclas de *Disintegration* y una sesión para escuchar el disco.

Esa sería la última batalla de Lol Tolhurst. Escuchó el *playback* con sentimientos encontrados.

> “Me di cuenta de que las discográficas no tenían ni puta idea de lo que hacía The Cure y de lo que significaba The Cure.”
>
> ROBERT SMITH

IZQUIERDA - Smith en Nueva York, en 1989: un muchacho en su volcán.

THE CURE - DISINTEGRATION

DISINTEGRATION

> «Pese a su título, *Disintegration* está bellamente unido.»
>
> MICHAEL AZZERAD

LISTA DE CANCIONES

CARA 1

Plainsong
Pictures Of You
Closedown
Lovesong
Lullaby
Fascination Street

CARA 2

Prayers For Rain
The Same Deep Water As You
Disintegration
Untitled

Fecha de lanzamiento 2 de mayo de 1989

Grabado en Hook End Recording Studios, Checkendon, Oxfordshire (Inglaterra)

Producción Producción e ingeniería de sonido: Dave Allen y Robert Smith

Músicos
Robert Smith: voz, guitarra, teclados, bajo de seis cuerdas
Lol Tolhurst: otros instrumentos
Porl Thompson: guitarra
Simon Gallup: bajo, teclados
Boris Williams: batería
Roger O'Donnell: teclados, piano

Diseño de la carátula Parched Art

Sello discográfico Fiction FIXH 14, 839 353-1

Máxima posición en listas alcanzada tras su lanzamiento
Reino Unido 3, Estados Unidos 12, Australia 9, Canadá 9, Francia 3, Alemania 2, Países Bajos 3, Nueva Zelanda 6, Noruega 7, Suecia 10, Suiza 4, Austria 5

Notas
Todas las letras compuestas por Robert Smith; toda la música compuesta por Smith, Simon Gallup, Roger O'Donnell, Porl Thompson, Boris Williams, y (oficialmente en lo créditos) Lol Tolhurst. Las copias originales en CD y en casete de *Disintegration* incluían «Last Dance» y «Homesick» como temas extras, pues no fueron incluidas en el vinilo original del álbum. *Disintegration* ha sido incluido en numerosas listas de los mejores discos. *Rolling Stone* situó el álbum en el puesto 326 de su lista de los «500 Mejores Ábumes de Todos los Tiempos». La edición alemana de la revista lo situó en el puesto 184 de la misma lista. *Melody Maker* lo consideró el mejor álbum de 1989; la revista Q lo situó en el puesto 17 de los «40 Mejores Álbumes de los Ochenta», y *Pitchfork*, en el puesto 38 de los «Mejores Álbumes de los Ochenta».

«Era, y es, un álbum maravilloso, pero yo me sentía muy alejado de él», escribió en *Cured*. Durante la sesión para escuchar el disco, hizo varios viajes al frigorífico del estudio que estaba lleno de cervezas; estaba borracho y se mostraba indiferente cuando se levantó tambaleándose para ofrecer un espontáneo veredicto personal: esto no era realmente un álbum de The Cure.

«¡La mitad es bueno y la otra mitad es una mierda!», dijo arrastrando las palabras. «Quiero decir que algunas canciones suenan a The Cure, pero otras no». Y se dejó caer de nuevo en su asiento.

Su arrebato se encontró con un silencio embarazoso y después de escuchar el álbum sus compañeros le ignoraron hasta que, como escribió en *Cured*: «Ya no lo pude aguantar más. Salí corriendo en la noche, lloroso e incoherente».

Estaba claro que el tiempo de Tolhurst en la banda había llegado a su fin. Incluso a Smith, su amigo de toda la vida, ya no le quedaba más paciencia. Tres semanas después, en enero de 1989, el cantante escribió a su compañero fundador de The Cure para decirle que tenía que dejar el grupo.

«Esta ha sido para mí una de las cartas más difíciles de escribir... o me parecía muy dura o demasiado blanda...», decía la carta.

«Todos dicen que si participas en la próxima gira, ellos no vendrán. Así que no debes venir de gira... por favor, no levantes un muro entre nosotros, pero tampoco intentes hacerme cambiar de opinión pues mi decisión es irrevocable».

Es comprensible que quisiese dar la sensación de que el resto de los miembros de The Cure le habían dado un ultimátum a Smith: o se iba Tolhurst o dejaban el grupo. Sin embargo, Boris Williams niega que fuese así.

«Hubo una reunión de grupo, incluido Robert, para discutir qué deberíamos hacer», explica. «Pero yo no recuerdo que todos nosotros fuésemos a Robert a decirle: "No iremos de gira si Lol sigue con nosotros". No creo que fuese así».

Fuese cual fuese la secuencia de acontecimientos, no cabía duda de que la salida de Tolhurst era inevitable e incluso deseable, por parte de todos. Ni siquiera el teclista pudo objetar la decisión.

«En cuanto la vi [la carta] pensé, vale, tiene sentido, es lo que él haría...», le reconoció a Jeff Apter en *Never Enough*. «Pensándolo bien, la carta era bastante amable».

En abril de 1989, lanzaron el *single* «Lulllaby» antes de *Disintegration*, ese álbum «deliberadamente críptico» que era un suicidio comercial. Alcanzó rápidamente el puesto número cinco de las listas de éxitos británicas, por encima incluso de «The Love Cats» y hasta hoy es el *single* de The Cure con mejor puesto en las listas de éxitos británicas.

Un mes después se lanzó *Disintegration* con mucha confusión y desconcierto de críticas.

En *NME*, Barbara Ellen alabó «un álbum alucinante e increíblemente completo». Chris Roberts, de *Melody Maker*, no estaba tan

LISTA DE LECTURAS

Lullaby
Inspirada en *The Spider and the Fly* de Mary Howitt, en particular por el verso: «¿Vas a descansar en mi pequeña cama?».

PÁGINA ANTERIOR - *Disintegration* en el escenario, 1989.
SUPERIOR - Portada de la caja *Integration*.

emocionado con el pesimismo general del disco: «*Disintegration* es tan divertido como perder una extremidad», escribió. «¿Cómo puede un grupo tan inquietante y deprimente ser tan popular?».

En Estados Unidos, Michael Azzerad de *Rolling Stone* fue ambiguo. Dijo que el disco no era nada nuevo, que era solo The Cure haciendo lo que siempre hacen y haciéndolo muy bien, pero concluía correctamente: «Pese a su título, *Disintegration* es un disco bellamente unido, que crea y mantiene a conciencia un tono de ensimismada melancolía».

Para cuando el álbum se lanzó, The Cure estaba ya de gira con The Prayer Tour, con todas las entradas agotadas, en estadios y festivales en Europa y el Reino Unido, cerrando con los ya obligatorios tres conciertos en Wembley. Después continuaron en Estados Unidos en un estilo de lo más singular.

Smith y Simon Gallup, no muy aficionados a volar, habían informado a Fiction que no irían de gira por Estados Unidos si tenían que subirse a un avión. La discográfica había tenido en cuenta esta petición y les había reservado pasajes en el trasatlántico QE2.

«Desgraciadamente, dejamos Inglaterra con un vendaval de fuerza nueve y el barco tenía un estabilizador defectuoso, de modo que a los que no somos muy buenos marineros el médico del barco nos puso unas inyecciones que nos dejaron noqueados las primeras veinticuatro horas», cuenta Williams.

«Estábamos completamente inconscientes. Cuando al final recuperamos el conocimiento, no había mucho que hacer en el barco, a no ser que te gustase el juego o los espectáculos. Cuando el barco atracó en Nueva York, nos llevaron en helicóptero a un miniaeropuerto en medio de la nada. Se suponía que Chris Parry tenía que recogernos, pero se lió con las horas y nunca apareció. Era antes de que existiesen los móviles y no teníamos modo de llamar a un taxi, así que acabamos haciendo autostop hasta el hotel».

Una vez que se registraron en el hotel, se fueron directos al Giants Stadium, en New Jersey, para tocar ante 44 000 personas, probablemente el concierto más multitudinario que jamás habían dado. El periodista de *Rolling Stone* lo disfrutó y comentó: «El espectáculo de The Cure en el estadio consigue intensificar una música que parece diseñada para ser escuchada a solas y en la oscuridad»; pero, ¿qué se sentía en el escenario?

«Fue impresionante, sobrecogedor», recuerda Williams. «Solo había tocado en un estadio anteriormente, en San Francisco con los Thompson Twins como teloneros de Police, pero sentí, bueno, que solo éramos los teloneros. Esta vez era decir: ¿toda esta gente ha venido a vernos?».

Smith describiría salir al escenario del Giants Stadium como «uno de los [momentos] más raros de mi vida y uno de los mejores» y sin embargo, a medida que The Prayer Tour se puso en camino por Estados Unidos, le sorprendió la magnitud de la devoción que provocaba la banda.

«Nunca fue nuestra intención ser tan famosos», le comentó a un periodista, cuando viajaban en coche entre «enormodomos». «La cuestión era disfrutar lo que estábamos haciendo en ese momento».

Para los cientos de miles de fans verdaderamente mereció la pena el precio de la entrada. The Cure nunca había sido una de las bandas más concisas y en la época de la gira The Prayer Tour, sus actuaciones en directo duraban mínimo dos horas.

«Robert siempre era muy generoso con el tiempo y quería que tocásemos lo máximo posible», explica Boris Williams.

«Tocábamos en estadios y, como todos estaban sindicados, teníamos horarios para terminar y debíamos cumplirlos. Si nos pasábamos, nos multaban aproximadamente con mil dólares por minuto. Siempre nos pasábamos de la hora».

Sin embargo, Smith estaba tan abrumado por el meteórico ascenso de la banda en Estados Unidos y en todo el mundo que le había

> «*Disintegration* es tan divertido como perder una extremidad. ¿Cómo puede un grupo tan inquietante y deprimente ser tan popular?»
>
> CHRIS ROBERTS, *MELODY MAKER*

DERECHA - The Cure se suicida comercialmente, y sobrevive.

> Nunca fue nuestra intención ser tan famosos.
>
> ROBERT SMITH

dado por decir, y no era la primera vez, que The Prayer Tour sería la última gira de The Cure. Si algunos fans le creyeron, cosa dudosa, todavía tenían más ganas de ver a la banda mientras aún se podía.

En cualquier caso, no eran más que palabras. Cuando The Cure llegó en septiembre al Dodger Stadium en Los Ángeles con las entradas agotadas, 50000 fans llenaban las gradas. *Disintegration*, que había llegado al número tres en el Reino Unido, llegó al número doce en Estados Unidos, camino de conseguir un doble platino.

Cuando se lanzó «Lovesong» como *single* en Estados Unidos un mes después, con la complicidad del vídeo dirigido por Tim Pope a lo Tim Burton en el que aparecía una inmensa araña peluda devorando a un Smith postrado en la cama, alcanzó el número dos, solo superado por Janet Jackson.

¿Quién lo hubiese pensado? Robert Smith había hecho, incluso antes de los treinta años, su obra maestra, su obra deseada y oscura y no había matado a The Cure, o a sus fervientes fans, más bien los había hecho más fuertes.

DERECHA - *Entreat* y *Songwords*.
PÁGINA SIGUIENTE - The Cure se salta otro toque de queda más de los sindicatos.

«NOS VEMOS EN LOS TRIBUNALES»

PÁGINA ANTERIOR - Sobre el escenario en Crystal Palace Park, en Londres, en agosto de 1990.
INFERIOR - «Así que la *dance music* está teniendo éxito, ¿no?».

Disintegration había sido el disco más agotador y personal que jamás había compuesto Robert Smith; The Cure se había pasado el año 1989 cruzando el globo, tocando esta música catártica en estadios deportivos durante dos horas todas las noches, una triste serenata para más de un millón de discípulos. Cuando aterrizaron en Londres tras la gira The Prayer Tour, Smith sabía exactamente lo que quería hacer en el comienzo de la nueva década.

Quería hacer muy poco.

The Cure tuvo un año 1990 mesurado. Fiction, que sin duda deseaba mantener el perfil alto de la banda, sacó un álbum en directo de los conciertos de Wembley de The Prayer Tour titulado *Entreat*. La banda preparó una gira en verano por festivales europeos, que incluía ser cabeza de cartel por segunda vez del Glastonbury Festival.

Durante los ensayos para esos conciertos, también hubo cambios en los músicos. Roger O'Donnell, que hacía poco que estaba con ellos, dejó el grupo supuestamente para iniciar una carrera en solitario. Quien le reemplazaría como teclista sería Perry Bamonte.

Bamonte no era en absoluto un rostro nuevo. Había trabajado con The Cure durante seis años como técnico de guitarra. Por casualidad, Janet, la hermana de Robert Smith y esposa de Porl Thompson, le había enseñado a tocar los teclados cuando estuvieron en Miraval.

Bamonte estaba con The Cure cuando en primavera fueron al estudio a grabar un EP con Max Saunders, el productor de *dance music*, que había coproducido el álbum de Neneh Cherry *Raw Like Sushi*. A Smith esas sesiones le parecieron una oportunidad para experimentar con la música electrónica, que entonces dominaba la escena musical en el Reino Unido.

El resultado fue un *single*, *Never Enough*, que volvió a entrar en el Top 20 en el Reino Unido y a encabezar la lista de *Modern Rock* estadounidense cuando se lanzó en septiembre, ayudado por un vídeo de Tim Pope que representaba una abigarrada feria de rarezas en la que The Cure parecía clamar contra la industria del entretenimiento que los había hecho millonarios.

Después de las actuaciones en los festivales veraniegos, cuyo punto culminante fue un gran concierto en el Crystal Palace Park, en Londres, el deseo de Smith de tomar parte en el mundo de la *dance music* y *acid* en el Reino Unido, desembocó en un inesperado proyecto marginal. *Mixed Up* era un álbum de remezclas de los temas más conocidos de The Cure realizado por celebridades del tecno como Paul Oakenfold y William Orbit.

Se trató de un proyecto valiente que condujo a acusaciones de los medios de comunicación de haberse subido al tren de lo que estaba de moda, pero Smith habló con inusual franqueza de las razones de ese paso: «Fue divertido después de un álbum pesimista como *Disintegration*». Las críticas del disco fueron, apropiadamente, diversas.

La relativa hibernación de The Cure continuó hasta 1991, año en el que tres actuaciones en enero en Londres serían los únicos

mixed up

MIXED UP

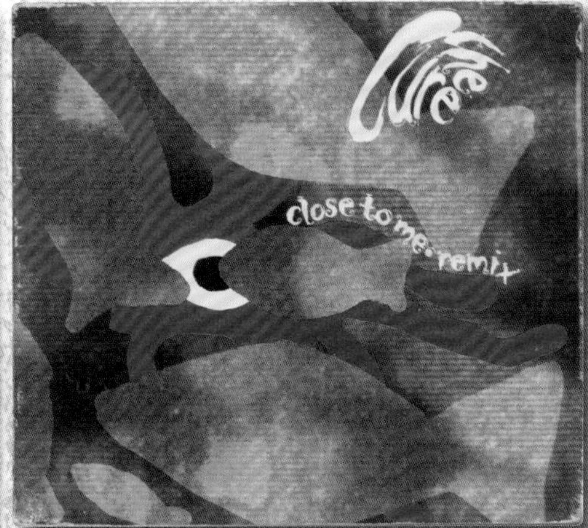

LISTA DE CANCIONES

CARA 1

Lullaby (Extended Mix)
Close To Me (Closer Mix)
Fascination Street (Extended Mix)

CARA 2

The Walk (Everything Mix)
Lovesong (Extended Mix)
A Forest (Tree Mix)

CARA 3

Pictures Of You (Extended Dub Mix)
Hot Hot Hot!!! (Extended Mix)
Why Can't I Be You? (Extended Mix)

CARA 4

The Caterpillar (Flicker Mix)
Inbetween Days (Shiver Mix)
Never Enough (Big Mix)

Fecha de lanzamiento 20 de noviembre de 1990

Grabación en Outside Studios (Inglaterra)

Producción
Chris Parry, Dave Allen, Robert Smith y Mark Saunders

Músicos
Robert Smith: voz, guitarra, bajo de seis cuerdas, teclados
Simon Gallup: bajo
Porl Thompson: guitarra, bajo de seis cuerdas
Boris Williams: batería
Roger O'Donnell: teclados
Lol Tolhurst: teclados en «Close To Me», «Hot Hot Hot!!!», «Why Can't I Be You?», «The Caterpillar»

Diseño de la carátula Maya

Sello discográfico Fiction FIXLP18, 847 099-1

Máxima posición en listas alcanzada tras su lanzamiento
Reino Unido 8, Estados Unidos 14, Australia 12, Austria 14, Francia 7, Alemania 19, Países Bajos 51, Nueva Zelanda 16, Suecia 31, Suiza 26

Notas
La edición en CD no incluye «Why Can't I Be You?» (*Extended Mix*), esto se debe al límite de 74 minutos del CD (posteriormente 80 minutos) necesario para cumplir con los estándares del disco compacto. Como no se encontraron los *master* originales, «A Forest» y «The Walk» no son remezclas, son regrabaciones.

> *Fue divertido después de un álbum pesimista como* ***Disintegration.***
>
> ROBERT SMITH

PÁGINA ANTERIOR - Robert Smith contempla la venganza de Lol Tolhurst.
DERECHA - VHS de *Picture Show*.

conciertos de todo el año. Sin embargo, en el verano les caería una bomba

Después de que lo echasen de la banda, Lol Tolhurst había seguido ahogando sus penas en alcohol durante un año antes de ingresar en el Priory Hospital, en Londres, para seguir un tratamiento de desintoxicación. Esta vez acabó todo el tratamiento y ya llevaba más de un año sobrio y recuperándose.

Lol Tolhurst también había formado un grupo, Presence, con un exmiembro de The Cure, Michael Dempsey, y con Gary Biddles, antiguo *roadie* en las giras de The Cure que también había formado parte de la antigua banda de Simon Gallup: Fools Dance.

Con la intención de conseguir un contrato discográfico, Tolhurst fue a ver a un abogado londinense de la industria discográfica para comprobar si estaba libre de cualquier obligación de tipo legal con The Cure o con Fiction Records. La respuesta que recibió fue iniciar una lamentable y nefasta cadena de acontecimientos.

El abogado le confirmó que así era, pero señaló que en un contrato de 1986 firmado por Tolhurst había cambiado su estatus en la banda y había pasado de ser socio a ser un músico contratado. Esto suponía que desde entonces, Smith y Chris Parry podían haberse quedado con una mayor participación en concepto de derechos de autor a expensas de Tolhurst.

Tolhurst había firmado ese contrato por voluntad propia en 1986, pero entonces empezó a decir que lo había hecho a instancias de Smith sin asesoramiento legal y, por lo tanto, le habían engañado. Decidió que el abogado escribiese a Smith y a Parry de su parte.

«En los recovecos de mi mente, sabía que en realidad quería... venganza», reconoció con franqueza en *Cured*. «Una enorme venganza, hedionda, dura y sombría. Habían sido injustos conmigo y ahora iba a por lo que era mío, ¡cabrones!».

Cuando la respuesta del abogado de The Cure señaló, como cabía esperar, que Tolhurst había firmado el contrato libremente, de buena

> Una enorme venganza, hedionda, dura y sombría. Habían sido injustos conmigo y ahora iba a por lo que era mío, ¡cabrones!
>
> LOL TOLHURST

fe, el teclista, que había sido despedido, endureció su postura. En el verano, comunicó que iba a demandar a Smith y a Parry por los derechos de autor que no le habían pagado, y exigió la propiedad compartida del nombre de la banda.

Horrorizado por el curso de los acontecimientos, Smith declaró que la decisión de Tolhurst era «estúpida» y afirmó en la revista musical inglesa *Select*: «Perderá y tendrá que pagar las costas del juicio y le costará mucho más que todo lo que esperaba ganar. Y perderá cualquier credibilidad que tenga con respecto a lo que hizo en The Cure, porque todo saldrá a la luz».

Pese a todo, empezó un intercambio de cartas entre los abogados de Tolhurst y el campamento de The Cure. Así sería durante los siguientes tres años.

Fue un terrible golpe psicológico y emocional, en especial para Smith, pero el espectáculo debe continuar. En el mes de septiembre, The Cure se metió en el estudio para grabar un nuevo álbum.

La banda y Dave Allen, el productor al que ahora acudían siempre, iban a grabar *Wish* en The Manor, un estudio que se encontraba en Shipton Manor, en Oxfordshire, una casa solariega de

LISTA DE LECTURAS

A Letter To Elise
Inspirada en la novela de Jean Cocteau *Infancia terrible*, en *Cartas a Felice* de Frank Kafka y en la canción de David Bowie, «A Letter to Hermione». Después de leer *Cartas a Felice* de Frank Kafka, Smith sintió «por primera vez, que la voz del narrador era la mía. Su influencia en las letras de mis canciones es enorme».

IZQUIERDA - Smith sobre la batalla legal de Lol Tolhurst: «Es una estupidez».
PÁGINA SIGUIENTE - La audición para *Eduardo Manostijeras* no fue un éxito.

"Tenía la sensación de que no estábamos haciendo nada diferente con este disco; que era otro álbum sin más. Supongo que era eso lo que le pasaba."

ROBERT SMITH

SUPERIOR - La portada de *Play Out*.

IZQUIERDA - «Lo único que estamos haciendo es otro álbum».

la época tudor propiedad de Richard Branson, fundador de Virgin Records. Esta casa tenía un detalle peculiar.

«En la casa solariega, Richard Branson tenía un mural gigantesco que plasmaba a muchos de los artistas que habían firmado con Virgin Records, como Mike Oldfield, Simple Minds y Boy George», recuerda Boris Williams.

«Phil Collins aparecía en el mural con bastante pelo y Perry Bamonte, que pintaba muy bien, decidió actualizarlo con respecto a la cantidad de pelo que Collins tenía en realidad, o más bien que no tenía. Borró el pelo e hizo que la cabeza calva se mezclase con el fondo. Richard Branson se pasó un día para saludarnos y todos estábamos sobre ascuas, porque la cabeza de Collins estaba exactamente a la altura de su vista. Pero Perry lo había hecho tan bien que Branson ni siquiera se percató».

Estas bromas típicas de jóvenes —a Bamonte también se le daba muy bien hacer y lanzar cohetes— hicieron que el ambiente de Shipton Manor fuese agradable, aunque el proceso de grabación fue en cierto modo tenso.

The Cure había llegado a Oxfordshire con canciones cuyas demos habían grabado con éxito en Londres. Convertirlas en productos terminados demostró ser más difícil, como recuerda Boris Williams:

«Era un álbum bastante íntimo. Empezábamos a grabar sobre las cuatro de la tarde. Era invierno y a esa hora ya estaba oscureciendo. Trabajábamos toda la noche y nos íbamos a la cama al amanecer.

En un principio grabamos muchas pistas de acompañamiento, guitarras *overdubbed*, etc., pero Robert Smith no parecía muy contento con todo ello y no estaba seguro de que fuésemos en la dirección adecuada. Así que descartamos todo eso y decidimos tocar juntos como una banda.

Todo funcionó cuando nos pusimos a tocar juntos e improvisamos «From The Edge Of The Deep Green Sea», que se convirtió en el tótem de cómo sería el resto del álbum, de cómo tenía que sonar».

En parte, el problema era que Robert Smith no estaba completamente seguro de qué tipo de álbum iba a ser *Wish*. En *Disintegration*, una llamada apasionada había vertido su alma; esta vez, faltaba la intensidad. Tenía la sensación de que estaban haciendo simplemente un disco más de The Cure.

«Era como si yo solo estuviese haciendo el disco y los otros simplemente tocasen», diría a la revista *Rolling Stone* años más tarde. «Algu-

DERECHA - Una reunión con los jóvenes: Smith con Andy Bell (izquierda) y Mark Gardener de Ride en 1991.

Fecha de lanzamiento 21 de abril de 1992

Grabado en The Manor, Oxfordshire (Inglaterra)

Producción
Producción e ingeniería de sonido: Dave Allen y Robert Smith

Músicos
Robert Smith: voz, guitarra, teclados, bajo de seis cuerdas
Perry Bamonte: guitarra, teclados, bajo de seis cuerdas, piano
Porl Thompson: guitarra
Simon Gallup: bajo
Boris Williams: batería, percusión
Kate Wilkinson: viola

Diseño de la carátula Parched Art

Sello discográfico Fiction FIXH 20, 513 261-1

Máxima posición en listas alcanzada tras su lanzamiento
Reino Unido 1, Estados Unidos 2, Australia 1, Francia 17, Alemania 6, Países Bajos 22, Nueva Zelanda 3, Noruega 7, Suecia 10, Suiza 8, Austria 14

Notes
Todas las canciones compuestas por The Cure (Perry Bamonte, Simon Gallup, Robert Smith, Porl Thompson, Boris Williams). El disco es el último álbum de estudio con Boris Williams y el primero con Perry Bamonte, además de ser el último con Porl Thompson, que había aparecido durante dieciséis años. El 16 de noviembre de 1993 se lanzó en casete una edición limitada del EP *Lost Wishes* con cuatro nuevos temas.

LISTA DE CANCIONES

CARA 1
Open
High
Apart

CARA 2
From The Edge Of The Deep Green Sea
Wendy Time
Doing The Unstuck

CARA 3
Friday I'm In Love
Trust
A Letter To Elise

CARA 4
Cut
To Wish Impossible Things
End

wish

nos días todo iba muy, pero que muy bien y otros eran muy, pero muy horribles. Tenía la sensación de que no estábamos haciendo nada diferente con este disco; que era otro álbum sin más. Supongo que era eso lo que le pasaba. Era un poco como consolidar donde estábamos».

Las palabras de Smith fueron duras pero justas. *Wish* no fue una vergüenza, pero tampoco fue un disco clásico de The Cure. Tenía sus puntos fuertes, el tenso y claustrofóbico primer tema «Open» era de lejos más convincente e hipnótico de lo que se podía esperar de una canción sobre emborracharse a regañadientes en una fiesta después de un concierto.

Según Smith, «From The Edge Of The Deep Green Sea», la piedra de toque del álbum, trataba sobre las drogas; este viaje musical de siete minutos y medio era, claramente, el tema más audaz y épico de *Wish*. El cantante ciertamente sonaba como la voz de la experiencia cuando evocaba la descorazonadora y sombría sensación de las resacas: «Dolor de cabeza, y cargado de vergüenza».

«Wendy Time» era una curiosidad, una canción ligera y amorfa en la que Smith gritaba sobre las atenciones de una mujer depredadora. Igual que la siguiente, «Doing the Unstuck», un tema poco convincente en el que chillaba «seamos felices»: un animador inverosímil.

«Friday I´m In Love» era la verdadera cúspide de *Wish*. Una canción deliciosa y festiva, heredera de la escuela de grandes éxitos del pop como «The Love Cats»/«Why Can´t I Be You», que aseguraba la continua aparición en el programa de MTV y en las emisoras de radio. Smith no la habría dejado ni acercarse a *Disintegration*.

Sin embargo, en muchos aspectos, el tema más intrigante de *Wish* era el último. En «End», un farfullo resignado y hastiado sobre una música plomiza y repetitiva, parecía que Smith hiciese un llamamiento público a los seguidores de The Cure más fanáticos, devotos y molestos que podían hacer que su vida fuese sino un suplicio, decididamente más difícil. «Por favor, dejad de quererme», imploraba. «No soy ninguna de esas cosas».

Wish no era ni el magnífico pop del tipo que se encontraba en *Kiss Me Kiss Me Kiss Me* ni la paranoia en vena de *Disintegration*, pero cuando Smith habló con Stuart Maconie de la revista *Q*, parecía despreocupado de los altibajos de montaña rusa de The Cure.

«Cuando estábamos grabando *Disintegration*, estuve completamente abatido los tres meses enteros», comentó. «Y lo puedes percibir en el disco. Durante la grabación de *Wish*, estaba bastante contento. Y eso también se percibe en el disco. Si te fijas, cada dos o tres años tenemos una fase alegre. Es cuando descubrimos una nueva droga. Estamos contentos durante un tiempo. Y después, lamentablemente, volvemos a la ciénaga. Hay que conseguir el equilibrio», concluyó Smith, añadiendo con simpática ligereza: «Algunas veces, intensidad; otras, hacer el payaso».

Si The Cure grabaron *Wish* parcialmente con el piloto automático, lo mismo se puede decir de los periodistas que tenían que escribir las críticas. La revista *Spin* se llevó el primer premio a ver quién lograba meter más clichés de The Cure en una valoración.

«Sollozo. Sollozo. Quejido. Resoplido», empezaba su crítica. «Perdón, estaba saboreando el nuevo disco de The Cure, lo que significa lanzarse de cabeza en un profundo pozo oscuro de desesperación, sin esperanza de alivio. ¿O sí?».

Bueno, sí y no. *Spin* al menos reconoció que The Cure «había encontrado muchas formas distintas de expresar los mismos sentimientos», pero concluía que «Robert Smith no es vago, pero es extremadamente conservador. El chico necesita un poco de aire fresco. O una patada en el trasero. Lo que sea que lo espabile un poco».

DERECHA - Smith: «Por favor, dejad de quererme».
PÁGINA SIGUIENTE, SUPERIOR - *High*, vinilo con dibujos.
PÁGINA SIGUIENTE - Bamonte y Robert Smith actuando en Finsbury Park, Londres, el 13 de junio de 1993.

> Robert Smith no es vago, pero es extremadamente conservador. El chico necesita un poco de aire fresco. O una patada en el trasero. Lo que sea que lo espabile un poco.

REVISTA *SPIN*

Cualquier álbum de The Cure que siguiese al insólito éxito comercial de *Disintegration* iba a funcionar bien y *Wish* capitalizó debidamente el nuevo estatus de la banda como grandes estrellas de la música cuando se editó en abril de 1992. En Estados Unidos llegó a ser número dos (aunque se vendió menos que *Disintegration*), detrás solo de Def Leppard; en Gran Bretaña se convirtió en el primer álbum de la banda que fue número uno.

La gira para promocionarlo fue, por consiguiente, épica. La odisea de *Wish* sumó 111 conciertos, empezando en Gran Bretaña en abril, para actuar después en Norteamérica, Nueva Zelanda, Australia, Europa y de regreso al Reino Unido, deteniéndose en Dublín en diciembre. Este agotador programa resultó demasiado duro para uno de los experimentados viajeros.

«Simon Gallup se estaba quedando muy delgado cuando grabamos el álbum *Wish*», recuerda Boris Williams. «Apenas comía. Y le había dado por el ciclismo. Estaba en pie toda la noche, trabajando y bebiendo con nosotros, dormía un par de horas, se levantaba y recorría 80 kilómetros en bicicleta por el campo. Intentó seguir la misma rutina cuando estábamos de gira, y bueno, sin apenas comer, mucha tensión: las giras te pasan factura».

Gallup, que seguía bebiendo y comiendo muy poco, estaba esquelético durante la gira de *Wish* y en Italia, en noviembre, se puso muy enfermo. Le diagnosticaron pleuresía y una deficiencia crónica de vitaminas y le enviaron a casa a descansar.

«Los ánimos estaban por los suelos cuando Simon Gallup dejó la gira», cuenta Williams. «Parecía que faltaba alguna cosa. Afortunadamente, Roberto Soave, músico colaborador de Shelleyan Orphan, era un gran admirador de The Cure que se sabía de arriba abajo todos los arreglos del bajo de Simon, así que le sustituyó hasta que este pudiese reincorporarse».

De vuelta a casa después de la gira, Smith supervisó la producción de *Show*, un CD de un directo filmado a lo largo de dos actuaciones en Auburn Hills, en Detroit, durante la gira de *Wish*. Esto era lo que hacía cuando no se encontraba en reuniones legales porque el caso de Lol Tolhurst al fin llegaba a los tribunales.

Un mes antes de que empezase el juicio, Chris Parry había llamado a Tolhurst para decirle que no era demasiado tarde para detenerlo todo, pagar a sus respectivos abogados y marchar cada uno por su camino. Pero el demandante hizo caso omiso. Tolhurst quería ir hasta el final.

El juicio se celebró en la sala 59 de la Corte Real de Justicia, en Londres, en febrero de 1994, y supuso lavar los trapos sucios en público, una terrible experiencia. Tolhurst afirmó que él solía beber menos que Smith y que Gallup, que según él se bebían cinco botellas de vino cada uno todas las noches, una afirmación bastante improbable.

Tolhurst también contó inquietantes historias de abusos psíquicos y de bromas que le gastaban los otros miembros de la banda, entre ellas pintar las paredes del estudio con «caricaturas desagradables» de él y en una ocasión esconder el caparazón de un escorpión en su toalla de la cara.

«Me puse muy enfermo y adelgacé más de seis kilos», explicó. «Era un círculo vicioso: yo bebía para ganar seguridad, pero después la perdía por la bebida o por los constantes abusos y era incapaz de tocar».

> “Era un círculo vicioso: yo bebía para ganar seguridad, pero después la perdía por la bebida.”
>
> LOL TOLHURST

SUPERIOR - Prueba de sonido en The Spectrum, Filadelfia, en mayo de 1992.
PÁGINA ANTERIOR - En el autobús de la gira, California, en 1992.

cure
show

cure
p a ris

cure
sideshow

SHOW Y PARIS

SHOW

Fecha de lanzamiento 13 de septiembre de 1993

Grabado en The Palace Of Auburn Hills, Detroit, Michigan, 18–19 de julio de 1992

Producción Robert Smith y Dave Allen

Músicos
Robert Smith: voz, guitarra
Simon Gallup: bajo
Porl Thompson: guitarra, teclados
Boris Williams: batería
Perry Bamonte: teclados, guitarra

Diseño de la carátula V

Sello discográfico Fiction FIXCD25, 519 951-2

Máxima posición en listas alcanzada tras su lanzamiento
Reino Unido 29, Estados Unidos 42, Australia 16, Alemania 37, Países Bajos 71, Nueva Zelanda 36, Suecia 34, Suiza 37, Austria 16

Notas
Todas las letras compuestas por Robert Smith; toda la música compuesta por Smith, Simon Gallup, Roger O'Donnell, Porl Thompson, Boris Williams, Lol Tolhurst. *Show* es un álbum doble editado en la mayoría de los casos en CD. Hay varias versiones con diferentes listas de canciones. La versión estadounidense es la única con un *single*. Las canciones que no cupieron en esa edición («Fascination Street», «The Walk» y «Let's Go To Bed») se editaron en el EP *Sideshow*. La versión en CD-i contiene más canciones.

LISTA DE CANCIONES

DISCO 1

Tape
Open
High
Pictures Of You
Lullaby
Just Like Heaven
Fascination Street
A Night Like This
Trust

DISCO 2

Doing The Unstuck
The Walk
Let's Go To Bed
Friday I'm In Love
Inbetween Days
From The Edge Of The Deep Green Sea
Never Enough
Cut
End

PARIS

Fecha de lanzamiento 26 de octubre de 1993

Grabado en Le Zénith, París (Francia) 19–21 de octubre de 1992

Producción
Producido y mezclado por Robert Smith y Bryan «Chuck» New

Músicos
Robert Smith: voz, guitarra
Simon Gallup: bajo
Porl Thompson: guitarra Boris Williams: batería
Perry Bamonte: teclados, guitarra

Diseño de la caráyula V

Sello discográfico Fiction FIXCD26, 519 994-2

Máxima posición en listas alcanzada tras su lanzamiento
Reino Unido 56, Estados Unidos 118, Australia 72

Notas
Todas las letras compuestas por Robert Smith; toda la música compuesta por Smith, Simon Gallup, Roger O'Donnell, Porl Thompson, Boris Williams, Lol Tolhurst. *Paris* fue lanzado al mismo tiempo que *Show*, que fue grabado en Estados Unidos. El 50 % de los beneficios del álbum fueron donados a las organizaciones benéficas Cruz Roja y Media Luna Roja para apoyar su labor humanitaria internacional.

LISTA DE CANCIONES

The Figurehead
One Hundred Years
At Night
Play For Today
Apart
In Your House
Lovesong
Catch
A Letter To Elise
Dressing Up
Charlotte Sometimes
Close To Me

> **Era muy difícil para mí ver el rápido declive de una persona a la que conocía y quería desde el colegio.**
>
> ROBERT SMITH

En una declaración de sesenta páginas, Smith dio detalles gráficos del declive a lo largo de los años de la capacidad de su amigo para tocar y de su estado mental. «Acabó siendo una sombra triste y desgarbada de lo que fue», explicó. «Le pedí que dejase de beber tanto y que aprendiese a tocar bien los teclados. Me prometió que lo haría».

Smith contó en el juicio que Tolhurst había roto su promesa hasta el punto de que tuvieron que ponerle una hilera de puntos de colores en los teclados para recordarle qué teclas tenía que tocar en las canciones: «Era muy difícil para mí ver el rápido declive de una persona a la que conocía y quería desde el colegio».

«Todos los miembros de la banda teníamos que asistir obligatoriamente al juicio por si nos llamaban y requerían como testigos», cuenta Boris Williams. «No era muy divertido. Para mí fue muy desagradable. Porl Thompson y yo nos sentábamos juntos todos los días haciendo garabatos y dibujando caricaturas».

Ninguna de las dos partes salió bien parada del juicio. Los defectos de Tolhurst se enumeraron exhaustivamente, pero sus historias de abusos y de trato injusto por parte de los miembros de la banda los hizo parecer tremendos abusadores. Fue un descanso cuando el juicio terminó y el juez Chadwick retuvo la sentencia hasta más adelante.

The Cure estaba de hecho en un paréntesis hasta que se resolviesen todas las cuestiones legales, así que Smith, para pasar la espera en ese verano de 1994 decidió ir a Estados Unidos a ver la final del Mundial de Fútbol. El 16 de septiembre estaba de regreso en Londres para escuchar la sentencia del juez Chadwick.

Fue condenatoria para Tolhurst. El juez falló contra el demandante en todos los cargos:

> «Tenía un grave problema de alcoholismo, del que le habría gustado poder recuperarse, pero que en ese momento limitó enormemente su capacidad para ejercer como músico.
>
> Me satisface que se le diese la oportunidad de continuar con The Cure, gracias a la generosidad de Robert Smith y como reconocimiento por ser miembro fundador. Sus servicios en el ámbito musical no eran, por sí mismos, necesarios.
>
> En mi opinión, tuvo la suerte, en ese momento, de que se le planteasen esas posibilidades... Por consiguiente desestimo las alegaciones de esta demanda».

Al salir del juzgado, Tolhurst dijo que estaba «muy triste» y que estaba considerando una apelación, pero quc no se sentia con ánimos. Sabía que este largo y lamentable asunto había llegado a su fin. Poco después se enteró de que debía pagar las costas legales que ascendían a cerca de un millón de libras.

SUPERIOR - Portada del casete *Lost Wishes*.
PÁGINA SIGUIENTE - Smith: «Si hubiese sido yo el abogado de Lol podría haber ganado».

> "Solo la puta crueldad mental que tuvo que sufrir. Muchas veces estaba tan en el limbo que después ni se acordaba."
>
> ROBERT SMITH

Años después Smith dio una interesantísima opinión de esta agotadora batalla legal. «La demanda no sirvió de nada», contó en la revista *Mojo* en 2003. «Si yo hubiese sido el abogado de Lol podría haber ganado. Solo la puta crueldad mental que tuvo que sufrir. Muchas veces estaba tan en el limbo que después ni se acordaba».

Con problemas económicos y también en su matrimonio, hay que reconocerle a Tolhurst el gran mérito de no refugiarse de nuevo en el alcohol. En lugar de eso, emigró a California, donde vive desde entonces.

Libre al fin de las restricciones y de las presiones psíquicas del juicio, Robert Smith se centró entonces en grabar un nuevo álbum de The Cure. Ya tenía un nuevo productor: Steve Lyon, que había colaborado durante muchos años con Depeche Mode. Lo que no tenía era una banda.

Durante la larga espera que supuso el juicio, The Cure se había disuelto de hecho. Simon Gallup, que seguía recuperándose de su enfermedad, no estaba nada animado. Porl Thompson, un gran entusiasta de Led Zeppelin, aprovechó la oportunidad que se le brin-

IZQUIERDA - De nuevo cabezas de cartel de Glastonbury en 1995.
PÁGINA ANTERIOR - «¿Has dicho St Catherine´s Court? ¿Jane Seymour? Mm...».

daba para ir de gira con Jimmy Page y Robert Plant como músico contratado.

Después de una década y cuatro álbumes, Boris Williams también había decidido dejar la banda, aunque más de veinte años después todavía le resulta difícil explicar por qué:

> «Era una cuestión de identidad. Cuando formas parte de una banda creas una imagen de quién eres y el resto de los miembros la aceptan. Yo ya no me sentía como la persona que era en The Cure. ¿Suena un poco a rollo?
>
> No sentía que fuese auténtico o genuino en la banda siendo esa persona. Me preocupaba mi estado mental. No es que no me llevase bien con todos. Los consideraba mis mejores amigos.
>
> Lo que más lamento es la forma en que lo hice. Telefoneé a Robert para decirle que dejaba el grupo y cuando me preguntó por qué, no supe plasmarlo en palabras igual que ahora tampoco puedo. Así que le dije que me iba porque quería aprender a tocar la tabla y, ahora que lo pienso, fue una razón de lo más frívola».

Poco a poco se fue logrando una nueva formación. Perry Bamonte había tocado mucho la guitarra en *Wish* y se pasó a los teclados a tiempo completo para reemplazar a Thompson. Gallup, una vez recuperado, regresó al grupo.

Con el productor Lyon —inicialmente contratado como ingeniero de sonido porque Smith iba a producir el álbum solo— The Cure se trasladó a St Catherine´s Court, una impresionante mansión isabelina cerca de Bath propiedad de la actriz hollywoodiense de origen inglés Jane Seymour. Este sería el campamento base de su décimo álbum de estudio: *Wild Mood Swings*.

La formación básica de la banda aumentó con Roger O´Donnell, que regresó para tocar los teclados después de una corta ausencia. Había varios candidatos para ocupar el taburete de la batería que acababa de dejar vacante Williams, aunque el favorito por un tiempo fue Mark Price de All About Eve, que tocó tres temas del álbum.

No obstante, Robert Smith, decidió reclutar un nuevo baterista mediante el método más antiguo y de probada eficacia, poniendo un anuncio en la prensa musical:

IMPORTANTE GRUPO DE FAMA INTERNACIONAL
BUSCA BATERISTA
Que sepa y le guste tocar diferentes ritmos
(metaleros abstenerse)

Uno de los que respondió al anuncio fue Jason Cooper, un baterista joven, muy bueno, aunque un poco inexperto, que vivía en Bath y dio la casualidad que era un gran admirador de The Cure, y que además les contó que se había pasado la adolescencia «escuchando *Faith* y bebiendo sidra». Tras una buena audición, Smith decidió arriesgarse con el joven principiante. Pasó a formar parte de la banda.

Los avances en *Wild Mood Swings* fueron al principio lentos. Igual que con *Wish*, Smith no estaba completamente seguro de qué tipo de disco debía ser. Hacía cuatro años del último álbum de The Cure y no solo había cambiado la formación de la banda, la escena musical británica estaba obsesionada con el *brit* pop y la confrontación entre Oasis y Blur, y la escena musical estadounidense seguía obcecada con el *grunge rock* y apesadumbrada por el suicidio de Kurt Cobain.

¿Existía el peligro que si The Cure reaparecía después de una larga ausencia resultase irrelevante?

Con Lyon ascendido a coproductor, la banda se tomó largos descansos en la grabación del disco para actuar en varios festivales europeos y a continuación ir de gira por Sudamérica con Page y Plant (y Porl Thompson). Chris Parry, cansado de los constantes retrasos y aplazamientos, decidió poner una fecha tope para el álbum, de modo que a la banda no le quedó más remedio que espabilar.

Cuando *Wild Mood Swings* se lanzó en mayo de 1996, resultó un álbum agradable, ligero y poco sólido realizado desde el fondo de la zona de confort de la banda. Era el segundo álbum consecutivo en el que The Cure sonaba como si se limitase a mantenerse a flote.

«Want», el espeso e intenso primer tema, un apenado panegírico sobre una permanente insatisfacción con la vida, podría haber aparecido en cualquier álbum de The Cure desde *Seventeen Seconds* (este incluido). En el siguiente, «Club America», Smith cantaba con un extraño y burlón acento de Manhattan, como si estuviese imitando a Iggy Pop o, posiblemente, a W. C. Fields.

«The 13th», que empieza con un ligero sonido de trompetas de *jazz* para continuar después con aires mariachi, fue una extraña elección como primer *single*: lo más amable que se puede decir es que al menos The Cure estaba probando algo nuevo. «Mint Car», que sonaba a un valiente intento de conseguir un éxito pop del tipo «Friday

SUPERIOR - The Cure en The Forum, Los Ángeles, 11 de agosto de 1996.
PÁGINA SIGUIENTE - «No tenemos ni idea de quién va a ser nuestro público».

LISTA DE LECTURAS

Treasure
Inspirada en el primer verso del poema de Christina Rosseti *Recuerda*: «Recuérdame cuando me haya ido».

I´m In Love», era una canción divertida pero no consiguió igualar su enorme éxito.

«Jupiter Crash», que durante un tiempo se pensó que daría título al álbum, era un encantador ensueño reflexivo sobre el espacio y los planetas lejanos. Era agradable, pero resultaba significativo que las canciones del álbum *Wild Mood Swings* fuesen la mitad de largas que las de *Disintegration*. Para los estándares de The Cure, estas canciones eran tentempiés; bocados; fragmentos.

«Originalmente, íbamos a titular el álbum *Bare* [el último tema de *Wild Mood Swings*]», me contó Smith cuando visité a The Cure en la casa de campo de Jane Seymour al terminar la grabación.

«Yo quería grabarlo muy rápido, literalmente en un fin de semana, solo tocando unas guitarras acústicas en una habitación, como Cowboy Junkies. Podría haber funcionado, pero entonces Boris dejó el grupo y decidí repensarlo».

De buena gana aceptó mi comentario de que el suntuoso producto final meticulosamente producido era lo menos parecido a la idea inicial que habían descartado. Smith admitió cierto grado de incertidumbre sobre la percepción en ese momento de The Cure.

«Estamos un poco confundidos sobre cómo nos consideran actualmente», comentó. «No tenemos ni idea de quién va a ser nuestro público o cómo nuestros fans de siempre van a reaccionar».

Sin embargo, el titulo, *Wild Mood Swings* (*Drásticos cambios de humor*) era clarísimamente apropiado. Tenía canciones alegres y canciones tristes: algo para cada bando de seguidores de The Cure.

«Para mí, componer una canción alegre es un proceso completamente distinto a componer una canción melancólica o introspectiva», explicó Smith. «Suelo escribir cuando estoy triste o enfadado. Entonces es cuando exteriorizo mis miedos e intento entenderlos. Cuando soy muy feliz, simplemente intento disfrutarlo».

«"Mint Car" trata de la sensación que tienes cuando crees que algo va a salir muy, muy bien, nada puede ser mejor que lo que está a punto de suceder. Pero yo no me sentía así cuando la compuse. Intento recordar [esa sensación] y acercarme a ella todo lo que puedo».

«Desafortunadamente, *Wild Mood Swings* no tiene nada de «drástico», señaló *Rolling Stone*. «De hecho, las canciones son más de lo mismo. En demasiadas ocasiones *Wild Mood Swings* se diluye en los estilos típicos de The Cure, tristes meditaciones sobre la pérdida ("Treasure") o brillantes y alegres canciones pop conscientemente cliché ("Mint Car"). En *Wild Mood Swings*, Smith parece demasiado atrapado en sus obsesiones para saber cuándo las ha expresado sin más y cuándo las ha transformado en arte. A veces hay una delgada línea, pero él la ha recorrido antes con resultados mucho más satisfactorios».

Como es evidente, para entonces Smith estaba muy acostumbrado a críticas poco entusiastas de los álbumes de The Cure. La tradición era que los devotos seguidores de la banda las ignorasen y comprasen millones de sus discos. Esta vez no iba a ser así.

En St Catherine´s Court, Smith me había dicho orgulloso que le parecía que The Cure había «superado los años ochenta», no como otros grupos contemporáneos de la época como Simple Minds y Echo and the Bunnymen. Señaló que la aventura de *Mixed Up* respaldaba su idea.

THE CURE
WILD MOOD SWINGS

WILD MOOD SWINGS

Fecha de lanzamiento 7 de mayo de 1996

Grabado en St Catherine's Court, Avon y Haremere Court, Sussex (Inglaterra)

Producción
Producción e ingeniería de sonido: Robert Smith y Steve Lyon

Músicos
Robert Smith: guitarra, bajo Fender VI de seis cuerdas, voz
Perry Bamonte: guitarra, bajo Fender VI de seis cuerdas, teclados
Roger O'Donnell: teclados
Simon Gallup: bajo
Jason Cooper: percusión, batería

Diseño de la carátula Andy Vella y The Cure

Sello discográfico Fiction FIXLP 28, 5317931

Máxima posición en listas alcanzada tras su lanzamiento
Reino Unido 9, Estados Unidos 12, Australia 5, Francia 3, Alemania 17, Países Bajos 37, Nueva Zelanda 10, Noruega 13, Suecia 2, Suiza 9, Austria 12

Notas
Todas las letras compuestas por Robert Smith; toda la música compuesta por The Cure. Este es el primer álbum con el baterista Jason Cooper, que tocó en nueve de las catorce canciones del disco, porque varios bateristas hicieron audiciones para el puesto durante la grabación.

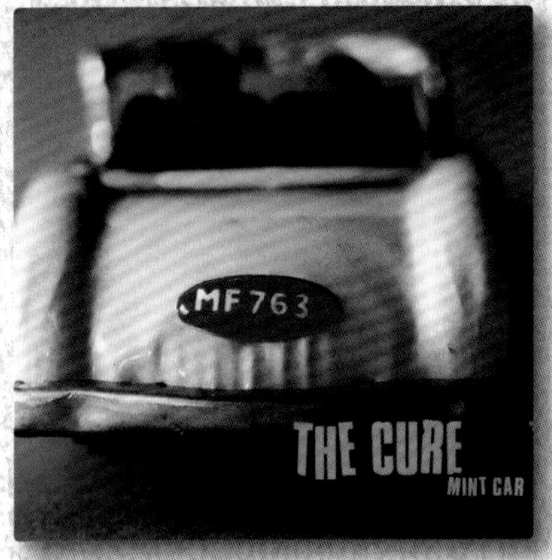

LISTA DE CANCIONES

Want
Club America
This Is A Lie
The 13th
Strange Attraction
Mint Car
Jupiter Crash
Round & Round & Round
Gone!
Numb
Return
Trap
Treasure
Bare

Tenía razón, sin embargo el hecho seguía siendo que a mediados de los noventa la escena musical estaba dominada por el *brit* pop y The Cure corrían el peligro, por primera vez, de resultar anticuados.

Cuando se publicó *Wild Mood Swings*, enseguida escaló puestos en las listas de éxitos a ambos lados del Atlántico, alcanzó el número nueve en el Reino Unido y el número doce en Estados Unidos. Sin embargo, estas raras estancias en las alturas fueron breves pues el álbum solo logró atraer a los acérrimos fans de The Cure.

El disco vendió poco más de un millón de copias en todo el mundo, lo cual significaba menos de un cuarto de las ventas de *Wish*. Fue el primer álbum en la historia de The Cure que no vendió más que su predecesor.

Wild Mood Swings también fue el primer álbum de The Cure que no resultó ser un acontecimiento en los medios de comunicación. Robert Smith siempre lo ha defendido fielmente. En 2004, manifestó a *Rolling Stone* que era uno de sus discos preferidos de The Cure y sostuvo que tenía algunas canciones «bastante locas». También sugirió que la elección de «The 13th» como primer *single* pudo haber perjudicado las ventas.

La estrella de The Cure ya no ascendía de manera tan espectacular, pero todavía tenían suficientes seguidores en todo el mundo para que la banda decidiese hacer una de sus típicas giras internacionales. La gira The Swing Tour se inició en Londres en mayo de 1996 y llenó noventa y tres estadios en Europa y Norteamérica para acabar en Gran Bretaña poco antes de Navidad.

The Cure seguía siendo una de las bandas más importantes en directo del mundo. Ahora bien, si sus millones de fans tenían el mismo interés en sus álbumes, esa ya era otra cuestión.

PÁGINA ANTERIOR - The Cure llena estadios...
SUPERIOR - ¿... pero, a quién le importan los nuevos discos?

CADA VEZ MÁS CURIOSO

La crítica de *Wild Mood Swings* de New York Times llegó a un veredicto probablemente más condenatorio de lo que había pretendido.

«Pese a todos los sufrimientos del desengaño», escribió el crítico, «la angustia no parece tan tremenda como lo fue la última vez y todas las anteriores».

Se entiende su punto de vista. ¿Podría ser que Robert Smith, el eterno existencialista de espíritu inquieto, siempre irritado por las restricciones, insatisfecho con su gente y que necesitaba algo más de la vida, se sintiese ahora... satisfecho? ¿Feliz, incluso?

Y de ser así, ¿dónde quedaría su perenne vehículo de angustia y amargura, es decir, The Cure?

Cuando acabó The Swing Tour, Smith tenía muchas razones para dejar de fruncir el ceño. Felizmente casado y asentado, lo bastante rico para permitirse cualquier capricho y con las discordias en la banda aparentemente superadas, se estaba acercando a los cuarenta y reconocía que la vida era algo más que *rock 'n' roll.*

«En el pasado», le reconoció a un entrevistador, «prefería estar de gira y grabando con The Cure y toda mi vida transcurría dentro del grupo. El alcohol, las drogas y las inevitables tensiones, ya no son para mí. Prefiero quedarme en casa».

Smith, que había dejado de vivir en Londres para regresar con Mary a Sussex, donde había instalado un estudio en su casa, se había refugiado para disfrutar de la vida familiar con su legión de sobrinos, incluidos los cuatro hijos que su hermana Janet tenía con Porl Thompson. Tras veinte años en The Cure, ya era hora de tomarse las cosas con tranquilidad.

Hizo una excepción en enero de 1997, por petición expresa de David Bowie. El icono y héroe personal de Robert Smith, gracias al cual había decidido coger la guitarra veinticinco años atrás, iba a dar un concierto en el Madison Square Garden para celebrar su cincuenta cumpleaños y había telefoneado al cantante de The Cure para invitarle.

Smith voló a Nueva York para participar en el concierto el 9 de enero junto con Lou Reed, Billy Corgan, Frank Black de Pixies y miembros de Sonic Youth y Foo Fighters. David Bowie y él cantaron «Quicksand» de *Hunky Dory* y «The Last Thing You Should Do» de *Earthling*, el reciente álbum de Bowie con mucha batería y bajo.

En la fiesta que se celebró tras el concierto, Smith estuvo hablando con Mark Plati, ingeniero de sonido que vivía en Nueva York y era fan de The Cure desde siempre y que acababa de coproducir *Earthling* con Bowie. Los dos congeniaron y Smith le propuso un trabajo.

PÁGINA ANTERIOR - En el KROQ Weenie Roast Concert, en Los Ángeles.
DERECHA - Robert Smith y David Bowie durante el concierto para celebrar el cincuenta cumpleaños de David Bowie en el Madison Square Garden, en Nueva York, el 9 de enero de 1997.

GALORE

LISTA DE CANCIONES

Why Can't I Be You?
Catch
Just Like Heaven
(Bob Clearmountain Mix)
Hot Hot Hot!!! (François Kevorkian
and Ron St. Germain Mix)
Lullaby (Single Mix)
Fascination Street (Single Mix)
Lovesong (Single Mix)
Pictures Of You (Single Mix)
Never Enough (Single Mix)
Close To Me (Closest Mix)
High (Single Mix)
Friday I'm In Love (Single Mix)
A Letter To Elise (Single Mix)
The 13th (Swing Radio Mix)
Mint Car (Radio Mix)
Strange Attraction (Album Mix)
Gone! (Radio Mix)
Wrong Number

"Rotundamente confirma el estatus de The Cure como una de las mejores bandas alternativas de los años ochenta y una de las más aventureras."

STEPHEN THOMAS ERLEWINE, *ALLMUSIC*

Fecha de lanzamiento 28 de octubre de 1997

Remasterizado en Metropolis Mastering

Diseño de la carátula Andy Vella

Sello discográfico Fiction FICCDDJ30

Máxima posición en listas alcanzada tras su lanzamiento
Reino unido 37, Estados Unidos 32, Australia 45, Alemania 51, Países Bajos 81, Nueva Zelanda 31, Suecia 54

Notas
Las canciones 1-4 estaban originalmente en *Kiss Me, Kiss Me, Kiss Me*; 5-8, en *Disintegration*; 12 y 13, en *Wish*; y 14-17, en *Wild Mood Swings*. Las versiones remezcladas de 11 de las 14 canciones están incluidas en *Galore*. «Wrong Number» es el único tema nuevo del álbum. La modelo de la portada es Isabel Caroline Slark.

THE CURE GALORE
THE SINGLES 1987-1997

Smith estaba recopilando temas para un nuevo álbum de grandes éxitos, *Galore*, que abarcaría desde el año 1987 hasta 1997. Estaba trabajando en un nuevo *single*, «Wrong Number», para promocionar el álbum y le pidió ayuda a Plati. El ingeniero de sonido voló a Londres, ayudó a Smith a grabar la canción e invitó a Reeves Gabrels, guitarrista de Bowie, a que añadiese unos *riffs* en el estudio.

Smith quedó contento con el resultado, pero «Wrong Number» fracasó a ambos lados del Atlántico. Las ventas de *Galore* también fueron una decepción: mientras que «Standing On A Beach» había sido doble platino en Estados Unidos diez años antes, este nuevo recopilatorio, pese a incluir éxitos como «Why Can´t I Be You?», «Friday I´m In Love» y el *single* que alcanzó el número dos en Estados Unidos «Lovesong», pasó bastante desapercibido.

Fue un fracaso comercial que afectó mucho a Smith. Quizá, pensó, nadie quería que The Cure siguiese siendo una banda pop.

Quizá era hora de volver a lo que el grupo era en realidad.

Sin embargo, aunque él siempre había sido ambivalente, en el mejor de los casos, sobre la fama, gracias a ella de vez en cuando se le había presentado alguna oferta que no podía rechazar. A finales de 1997, Trey Parker y Matt Stone, los creadores de *South Park*, le pidieron que participase como invitado en la serie de dibujos animados.

El personaje de Robert Smith se transformaba en Smithra, una mariposa gigantesca, con objeto de vencer al diabólico Mecha-Streisand, el monstruo *alter ego* de Barbra Streisand, que hacía estragos en *South Park*. Smith no tenía ni idea del argumento cuando leyó por teléfono las frases que le pidieron. El episodio se emitió en febrero de 1998.

A finales del verano de 1998, The Cure actuaron en varios festivales europeos y terminaron con un concierto en el The Forum de Londres, en noviembre. Llegó el momento de pensar en el nuevo álbum.

De hecho, Smith ya llevaba un tiempo pensando en este particular artefacto. El undécimo álbum de estudio sería el último que por contrato tenían que grabar para Fiction en el Reino Unido y para Elektra en Estados Unidos, y decidió despedirse en plan tozudo.

SUPERIOR - En el *backstage* del cincuenta aniversario de The Dame: Billy Corgan, Bowie, Lou Reed, Smith.
PÁGINA SIGUIENTE - Cabeza de cartel en el Bizarre Festival, en Colonia (Alemania), en 1998.

> Todo el mundo pensaba que me estaba comportando de forma muy desagradable. Supongo que sí, porque quería que todos se centrasen en el álbum.
>
> ROBERT SMITH

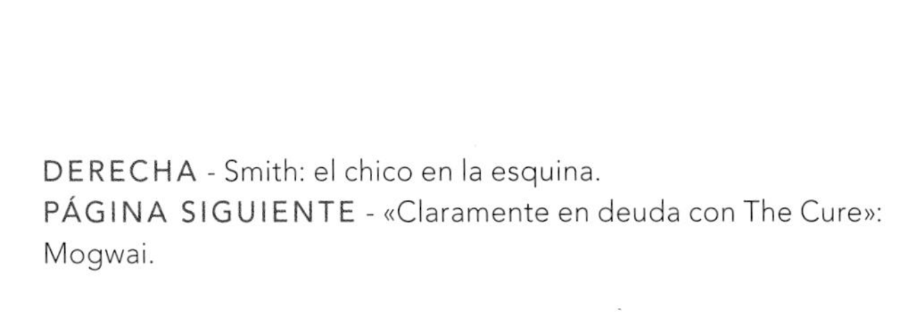

DERECHA - Smith: el chico en la esquina.
PÁGINA SIGUIENTE - «Claramente en deuda con The Cure»: Mogwai.

A lo largo de 1998, Smith había escrito canciones y grabado demos en el estudio de su casa con un propósito en mente: grabar un nuevo álbum que se iba a titular *Bloodflowers* y que completaría la trilogía de *Pornography* y *Disintigration*.

No tendría alegres melodías pop, nada de canciones vertiginosas y caprichosas, nada de calculados intentos para lograr un éxito en las listas, nada de efervescente ligereza. Iba a ser Robert Smith centrando a The Cure en lo que él había considerado que era su verdadero fuerte: sinfonías sombrías y majestuosas sobre el significado de la vida, la tragedia de envejecer, la inevitabilidad de la muerte.

Cuando The Cure se reunió con Paul Corkett, un nuevo productor que había trabajado como ingeniero de sonido en *Wild Mood Swings*, Smith explicó su decisión al resto de la banda de la forma más directa imaginable: les hizo sentar y escuchar juntos *Pornography* y *Disintigration*.

A continuación les dio una arenga motivadora. «Para poder tener alguna oportunidad de ser la mejor formación de The Cure, tenéis que lograr un álbum que tenga este tipo de impacto emocional», les dijo. «A The Cure se le recuerda por álbumes como estos».

Robert Smith también intentó reproducir el espíritu y la metodología del proceso de creación de *Disintigration* (sabiamente excluyendo la anarquía drogata que había acompañado la grabación de *Pornography*). Se esforzó por guardar las distancias con los otros miembros de la banda: cualquier persona que no estuviese directamente involucrada en la creación de *Bloodflowers* no podía entrar en el estudio.

«Todo el mundo pensaba que me estaba comportando de forma muy desagradable», comentaría después. «Supongo que sí, porque quería que todos se centrasen en el álbum».

Bloodflowers se grabó en dos sesiones: una antes de la Navidad de 1998, la otra la siguiente primavera. Igual que *Disintegration*, el disco era en gran medida la visión de Smith: solo dos canciones fueron compuestas por el grupo; los créditos de las otras eran solo para el cantante.

«Durante unos tres meses, el resto del mundo quedó en segundo plano y no me preocupé de nada excepto de hacer este álbum», explicó Smith. «Hace unos diez años que no he hecho esto».

En *Pornography*, Smith había intentado capturar y canalizar la densidad y la intensidad de The Psychedelic Furs. Casi veinte años después, tenía una piedra de toque musical más contemporánea.

«La primera vez que escuché *Young Team* [el primer álbum lanzado por Mogwai, la banda escocesa de *noise*-pop], pensé que me gustaría mucho hacer algo que tuviese esa fuerza», contó a *Uncut* cuando se lanzó *Bloodflowers*.

«Creo que Mogwai está claramente en deuda con lo que The Cure ha hecho a lo largo de los años y yo estoy en deuda con ellos por despertar de nuevo en mí la idea de lo que se puede conseguir si coges una idea sencilla y la llevas al extremo».

Entonces, ¿cómo de extremo era *Bloodflowers*? Quedaba claro la primera vez que se escuchaba que Smith había regresado a la plantilla original de The Cure —melodías inquietantes que rezumaban una elocuente melancolía, largas canciones que se desarrollaban de forma solemne, con su propio ritmo— sin embargo, algo había cambiado entretanto. A Robert Smith ya no le embargaba la intensidad de la juventud.

Era un hombre maduro que no miraba hacia delante, a un imaginario abismo, sino hacia atrás, lánguidamente, a una vida vivida con excesos y desenfreno, no siempre sabiamente. Smith no sonaba como si expresase su rabia contra la agonía de la luz, sino como si suspirase contra esa agonía.

Por lo tanto, en «Out Of This World», el introspectivo primer tema que se despliega suavemente con un bonito rasgueo de guitarra a

BLOODFLOWERS

BLOODFLOWERS

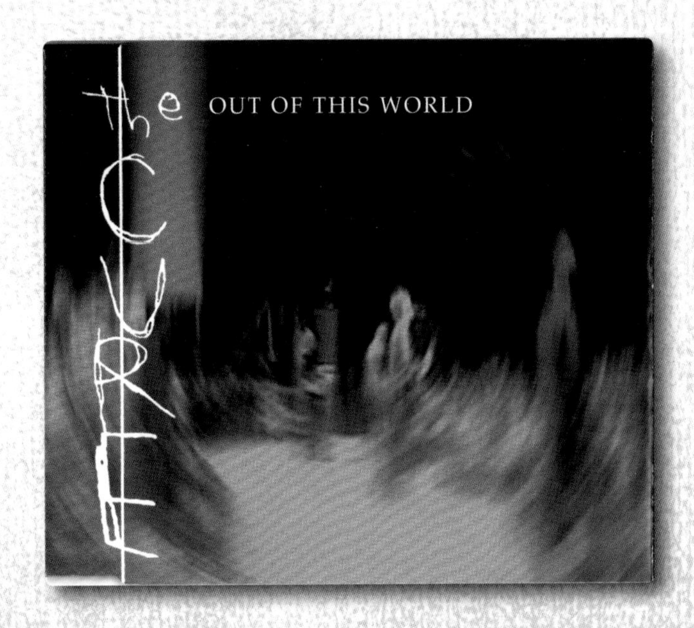

Fecha de lanzamiento 15 de febrero de 2000

Grabado en St Catherine's Court, Avon y en RAK Studios, en Londres (Inglaterra)

Producción
Producción e ingeniería de sonido: Robert Smith y Paul Corkett

Músicos
Robert Smith: voz, guitarra, teclados, bajo de seis cuerdas
Roger O'Donnell: teclados
Perry Bamonte: guitarra, bajo de seis cuerdas
Simon Gallup: bajo
Jason Cooper: percusión, batería

Diseño de la carátula Stylorogue & smART

Sello discográfico Fiction FIXCD31, 543 123-2

Máxima posición en listas alcanzada tras su lanzamiento
Reino Unido 14, Estados Unidos 16, Australia 11, Francia 3, Alemania 5, Países Bajos 50, Nueva Zelanda 41, Noruega 5, Suecia 5, Suiza 3, Austria 22

Notas
Todas las letras compuestas por Robert Smith; toda la música compuesta por The Cure. Este álbum es el último hasta ahora en el que se utilizan mucho los teclados. En *The Cure*, el álbum de 2004, ya se utilizan mucho menos y tras la salida de Roger O'Donnell tras el lanzamiento del álbum y de la gira que le siguió, la banda se ha reducido a cuatro miembros y ha eliminado los teclados.

"Son canciones feas disparadas con una belleza espectral, obsesiva."

APRIL LONG, *NME*

LISTA DE CANCIONES
Out Of This World
Watching Me Fall
Where The Birds Always Sing
Maybe Someday
Coming Up (excluida en las ediciones para Europa, Canadá y América del Sur, menos Colombia)
The Last Day Of Summer
There Is No If . . .
The Loudest Sound
39
Bloodflowers

> Ahora acepto que The Cure tiene un sonido y este álbum es el sonido de The Cure.
>
> ROBERT SMITH

medio tiempo, Smith reflexionaba irónicamente sobre dónde se encontraba en ese momento y dónde estuvo en el pasado: «Cuando miremos atrás, como sé que haremos/Tú y yo, boquiabiertos/Me pregunto/Si nos acordaremos de cómo se siente estar tan vivos».

La canción tenía el mismo espíritu que había motivado a los tres chicos imaginarios de Crawley, un ingenuo asombro por el milagro de la mera existencia. Sin embargo, la angustia adolescente hacía mucho que se había disipado, que se había disuelto: aquí nos encontrábamos con algo más cercano al ideal de Wordsworth del recuerdo tranquilo de la emoción.

El siguiente tema, «Watching Me Fall», de once minutos de duración, tenía un tono más sombrío, el lamento de Smith al ver su decadencia y su declive. La letra de la canción parece tratar de un encuentro sexual en Tokio; pero, quién sabe. El críptico arrepentimiento de la canción era indirecto y atormentado.

Bloodflowers seguía desarrollándose en un tono similar suave y reflexivo: «El mundo no es ni justo ni injusto», cavilaba Smith en «Where The Birds Always Sing». Musicalmente, era un álbum atmosférico, de apagados tonos pastel salpicados con el rojo sangre de las heridas. Era una melancolía a un ritmo medio, sin cambios de ritmo.

Era, no cabe duda, una obra bien hecha, llena de texturas, y las pasiones que Smith vertía con agudeza parecían sinceras. *Bloodflowers* no daba pie a muchas discrepancias: su único defecto, si es que había alguno, era la falta (deliberada) de ganchos o melodías distintas, con fuerza, lo que dejaba que un elegante e inquietante tema se filtrase en el siguiente.

Smith había compuesto «39» sobre su vida cuando se estaba acercando a los cuarenta, sin embargo, su visión autobiográfica era muy crítica consigo mismo: «El fuego casi se ha apagado y ya no queda nada para quemar/Me he quedado sin ideas y sin palabras...». Su tono, sin embargo, no era de introspectiva desesperación sino de estoica resignación.

Pensase lo que pensase el mundo de *Bloodflowers*, Robert Smith estaba encantado con el resultado y le parecía que había conseguido su objetivo de completar una trilogía oscura junto con *Pornography* y *Disintegration*. «Es uno de los tres álbumes clásicos de The Cure», explicó en la revista *Uncut* cuando se lanzó el disco. «Ahora acepto que The Cure tiene un sonido y este álbum es ese sonido. La diferencia es que ahora la idea me gusta. Me gusta el hecho de que a los treinta segundos de empezar sabes que es The Cure. Es un testamento de lo que hemos logrado».

Posiblemente, *Bloodflowers* era un disco difícil de amar, pero fácil de admirar y, por ello, las críticas fueron respetuosas pero ambiguas. «*Bloodflowers* es en todas sus notas un álbum de The Cure», decía la revista *Q*. «Es verdad que no hay ningún tema que sea un obvio *single* de éxito —uno de esos cambios repentinos para pasar a un glorioso y alocado frenesí pop— pero sigue aportando mucho».

NME entendió muy bien el disco. «En lugar de clavar un clavo en el ataúd de la moribunda carrera de veintitrés años de The Cure, *Bloodflowers* la reabre, la repite y considera que merece la pena darle un nuevo ímpetu», escribió April Long. «Lo que nos queda es el oscuro y denso núcleo de la psique de Smith y un recordatorio de que cuando The Cure mejor lo hacen es cuando crean temas llenos de incertidumbre y angustia. Son canciones feas disparadas con una belleza espectral, obsesiva. No tienen una verdadera estructura, solo una secuencia opresiva que se va desenroscando».

En su lanzamiento, en febrero de 2000, *Bloodflowers* entró en el Top 20 tanto en el Reino Unido como en Estados Unidos aunque esto no provocó un importante renacimiento comercial de The Cure. La banda lanzó el álbum con una breve gira por salas de Europa y Norteamérica a principios de año, y en uno de ellas tendría lugar una conmovedora reconciliación.

Desde que se había mudado a California, Tolhurst no había vuelto a beber, se había divorciado y se había casado con la estadounidense Cindy Levinson (los dos grabarían con el nombre de Levinhurst un disco de música electro-*dream*-pop): estaba enmendando el pasado.

Tolhurst había escrito a Robert Smith disculpándose por sus últimos años en la banda y pidiéndole una oportunidad para hablar con él en persona. Smith le contestó e invitó a su antiguo compañero a la actuación de The Cure en el Hollywood Palace, el 19 de febrero.

En *Cured*, Tolhurst habló emotivamente del primer encuentro con Smith en el camerino de la banda antes de empezar el concierto des-

PÁGINA SIGUIENTE - «El fuego casi se ha apagado y ya no queda nada que quemar...».

GREATEST HITS

LISTA DE CANCIONES

Boys Don't Cry
A Forest
Let's Go To Bed
The Lovecats
The Caterpillar
Inbetween Days
Close To Me
Why Can't I Be You?
Just Like Heaven
Lullaby
Lovesong
Pictures Of You
Never Enough
High
Friday I'm In Love
Mint Car
Wrong Number
Cut Here
Just Say Yes

Fecha de lanzamiento 13 de noviembre de 2001

Remasterizado en Metropolis Mastering

Diseño de la carátula Stylorogue

Sello discográfico Fiction FIXCDL32, 589 435-2

Máxima posición en listas alcanzada tras su lanzamiento
Reino Unido 33, Estados Unidos 58, Australia 27, Austria 34, Francia 9, Alemania 22, Nueva Zelanda 17, Noruega 24, Suecia 48, Suiza 24

Notas
Greatest Hits (grandes éxitos) incluye *singles* selectos de los 25 años de carrera del grupo, junto con dos nuevos temas «Cut Here» y «Just Say Yes». En la edición estadounidense, «The Walk» sustituye a «The Caterpillar» y «Pictures of You». Todas las canciones fueron remasterizadas específicamente para esta recopilación. Para ofrecer algo nuevo a los fans más acérrimos que ya tenían las canciones previamente editadas, Robert dispuso que la banda y Boris Williams, uno de los antiguos miembros, regrabasen versiones acústicas de los grandes éxitos. Solo las primeras copias de *Greatest Hits* se vendieron con un disco adicional de versiones acústicas llamado *Acoustic Hits*.

de la Real Corte de Justicia. Los dos se abrazaron y Smith pidió a todos que los dejasen solos para poder hablar.

Tolhurst empezó a pedir perdón por el dolor y los daños que había causado a The Cure. Mientras farfullaba su disculpa, Smith le puso una mano en el hombro: «Ey, no vayas tan rápido. No pasa nada. Tenemos tiempo para todo esto».

«Me di cuenta de que ya me había perdonado», escribió Tolhurst en *Cured*. «El hijo pródigo podía al fin regresar a casa».

Tolhurst vio el concierto de The Cure, después acompañó a la banda a un club (bebiendo estrictamente agua) y luego fue a la habitación del hotel de Smith en Sunset Boulevard y se quedó hablando hasta el amanecer con su mejor amigo y el más antiguo. El acercamiento fue todavía más dulce por haberse demorado tanto.

De regreso en Gran Bretaña, The Cure dejó Fiction Records después de veintitrés años. Smith abandonó la discográfica con la finalización del contrato, pues Chris Parry vendió Fiction al gigantesco conglomerado Universal Music. Con los beneficios de la venta, Parry se retiró a su nativa Nueva Zelanda y, con el tiempo, volvió a formar el grupo Fourmyula.

El penúltimo proyecto de la banda para la discográfica fue la larga gira The Dream Tour en el año 2000 para promocionar *Bloodflowers*. En esta gigantesca gira tocaron en cincuenta y siete estadios y teatros de Europa, Norteamérica y Australia.

Siempre atento al legado del grupo, Smith también supervisó dos recopilaciones de despedida de Fiction: un álbum doble convencional de grandes éxitos, *The Cure Greatest Hits* (editado en 2001), y en 2004 la caja de cuatro discos con setenta y dos canciones de caras B y rarezas *Join the Dots*.

Pero cuando The Dream Tour se terminó, The Cure se encontraron sin contrato discográfico por primera vez desde 1978.

Se plantearon seriamente si debían seguir. El fin de su relación con Fiction, que había durado toda su carrera, marcaba el fin natural de la banda, sobre todo porque para Smith *Bloodflowers* era, en cierto modo, la suma de su carrera.

Las ventas de discos del grupo habían disminuido (esta no era una situación excepcional, en esta era de la piratería digital) y, comprensiblemente, Smith se preguntaba si seguía habiendo interés por The Cure —y si él seguía interesado en crear música con ellos—.

De hecho, al final de The Dream Tour, The Cure entró en estado de hibernación, solo dieron dos pequeños conciertos privados en París en 2001, uno de ellos con la nostálgica actuación especial de Boris Williams en la percusión. Al año siguiente tuvieron una serie de lucrativas actuaciones en festivales como cabeza de cartel, pero no hubo indicios de ningún material nuevo.

> “Me di cuenta de que ya me había perdonado. El hijo pródigo podía al fin regresar a casa.”
>
> LOL TOLHURST

DERECHA - Un sencillo concierto en junio de 2000 en Londres, en el Astoria.

En el escenario
del Livid Festival
el 21 de octubre de 2000
en Brisbane (Australia).

> Congeniamos enseguida. Es la persona con más ganas de vivir que he conocido.
>
> ROBERT SMITH

En realidad, la actuación más notable de la banda durante 2002 fue retrospectiva. En el Tempodrom de Berlín, el 11 y el 12 de noviembre, tocaron *Pornography*, *Disintegration* y *Bloodflowers* al completo y por orden cronológico. Posteriormente se lanzaría un DVD de estos conciertos con el título *Trilogy*.

Con posterioridad, hacia finales de 2002, Smith echó un vistazo a un artículo en una revista musical que despertó su interés. Se trataba de una entrevista con un productor discográfico estadounidense, Ross Robinson, un hombre cuyo currículum hasta ese momento plasmaba todo lo que Smith odiaba. Robinson había estado muy relacionado con el *nu metal*, la horrible amalgama de angustia llamativa y bruta testosterona que había desfigurado la escena de la música *rock* de Estados Unidos a finales de los noventa.

El californiano Robinson había empezado como guitarrista de *thrash metal* antes de pasarse a la consola de mezclas para producir en 1994 el álbum debut de Korn y su continuación en 1996, *Life is Peachy*, que fue disco platino. Posteriormente llevó las riendas de *Three Dollar Bill, Y'All*, publicado en 1997 y álbum debut de Limp Bizkit, que para muchos era la peor banda del mundo.

No existía ninguna conexión obvia entre Robinson y The Cure... y, sin embargo, en la entrevista de la revista, cuando le preguntaban sobre su sonido de guitarra preferido respondió que Smith era uno de los guitarristas que más le gustaba.

«Empecé a investigar quién era y qué había hecho», contó Smith a la revista *Spin*. «Tenía el primer álbum de Korn y hacía años que no lo había escuchado, así que lo puse en mi estéreo. Y cuando examiné lo que hacía, pensé, Dios, qué raro que le gustemos, porque no parece que su música tenga nada que ver con la nuestra».

No obstante, el interés de Smith en este personaje que aparentemente nada tenía que ver con él se acrecentó cuando compró y admiró *Start with a Strong and Persistent*, el álbum debut (y hasta la fecha el único) que publicó en 2002 Vex Red, una banda de *rock* británica poco conocida, y descubrió que Robinson lo había producido. Decidió ponerse en contacto con él.

La reacción de Robinson fue extremadamente positiva y los dos hombres se vieron en el *backstage* en un festival de verano. «Congeniamos enseguida», se maravillaba Smith. «Es la persona con más ganas de vivir que he conocido... Había leído que había dicho que mataría por hacer el próximo álbum de The Cure, no me esperaba que congeniásemos».

En un principio Smith le propuso que produjese el álbum en solitario que decía que quería hacer desde la época de *Disintegration*. El estadounidense enseguida rechazó la idea.

«No estuvo de acuerdo», contó Smith posteriormente. «Me dijo: "Es el momento para un nuevo álbum de The Cure, tengo una corazonada"».

Robinson, otra cosa no, pero persistente lo era un rato y los siguientes meses no paró de enviar a Smith correos electrónicos y faxes. A principios de 2003, Smith aceptó no solo que Robinson produjese el siguiente álbum, sino también que The Cure firmase un contrato de tres años con I Am, la compañía discográfica del productor.

«The Cure hace años y años que es mi grupo preferido», explicó Robinson cuando cerró el trato. «Fueron fundamentales en mi enfoque con respecto a la producción. Fue The Cure quien me introdujo en un tipo de música, más sensible y sincera, y he sido leal a ese sentimiento en todos los proyectos que he realizado desde entonces».

Un cínico podría sugerir que resultaba difícil apreciar esta «sensibilidad» en los trabajos de Robinson con, por ejemplo, Limp Bizkit, Sepultura y Slipknot. Pero la suerte estaba echada y Ross Robinson y The Cure se encontraron en los Olympic Studios en Londres en la primavera de 2004.

Desde el principio se vio claramente que Robinson era un productor mucho más enérgico, efusivo, concienzudo y, en fin, «americano» que todos los demás con los que The Cure había trabajado. La mismísima primera sesión fue espectacular.

«El primer día en el estudio lo colocamos todo y empezamos a tocar una canción», cuenta Smith. «Nos dejó tocar durante una hora aproximadamente y entonces se acercó y empezó a darle patadas a todo y se puso como un loco».

«[Decía] ¡Sois The Cure! ¿Qué coño estáis haciendo?». Teníamos a este tipo corriendo por el estudio, pegando patadas y diciendo: «Pero por Dios, ¿es que no os dais cuenta?».

Robinson era un gran admirador de la banda, pero se decidió por un enfoque amor-odio para trabajar con ellos. Estipuló que tenían que

PÁGINA SIGUIENTE - ¿Has dicho *nu metal*? Claro, ¿por qué no?

grabar una canción por día y empezaba cada sesión insistiendo que Smith, el único letrista en un álbum de composiciones musicales de grupo, tenía que explicarle a la banda de qué iba.

«Yo pensé, "¡joder, es una pasada que me pida que me explique!"», confesó Smith. «Pero después pensé: "Vale, voy a hacer lo que dice, al fin y al cabo de lo que se trata es de que sea una experiencia diferente"».

Después de haber sido durante años la única fuerza motivadora y disciplinaria en las sesiones de grabación de The Cure, Smith se tomó bien que el brusco e hiperactivo estadounidense le quitase un peso de encima: «Yo casi lloraba de alegría», contaría en *Spin*. Algunos de sus compañeros no estaban tan entusiasmados.

Cuando a Gallup se le preguntó sobre la actuación de Robinson durante la producción del álbum, fue tajante: «No me digas que es un gran productor. Para mí solo ha sido una pesadilla. De mi boca no saldrá nunca una palabra positiva sobre él. Es un idiota».

A Roger O´Donnell tampoco le causó muy buena impresión. Cuando inicialmente se negó a aceptar el enfoque de Robinson con respecto a la grabación, que era de enfrentamiento y a la vez cariñoso, al teclista le molestó la actitud obsesiva del productor que no paró de meterse y reírse de él como un loco.

Las sesiones de grabación podrían haber sido un desastre sin paliativos. Sin embargo, no se sabe cómo, salieron bien, ayudadas por el hecho de que Robinson, afortunadamente, no quiso convertir a The Cure en Slipknot.

«Cuando nos asociamos con Ross Robinson, tenía la idea de hacer el disco más *heavy* que The Cure podría hacer», confesaría Smith a MTV. «Pero a Ross le gusta la parte melódica, pop de la banda y también la más emocional».

Quizá los fans simplemente agradecieron que hubiese otro disco de The Cure. «Si no hubiese conocido a Ross, no habríamos grabado este disco», contó Smith en *Spin*. «Si no hubiese conocido a alguien con el tipo de pasión que él tiene, lo hubiese dejado correr. Para mí, *Bloodflowers* era una forma fantástica de terminar».

Con doce álbumes en su haber, la banda hizo lo que muchos grupos hacen en su debut: lanzar un disco epónimo. Se iba a titular *The Cure*. «Decidí titularlo *The Cure* por una muy buena razón», dijo un optimista Smith. «Creo que es lo mejor que hemos hecho jamás».

Si algunos fans de toda la vida escucharon *The Cure* con prevención, temiendo que Robinson hubiese transformado a sus héroes en zafios y torpes músicos de *nu metal*, enseguida se quedaron tranquilos. A rachas, las guitarras sonaban amenazadoras, más que envolventes y etéreas, pero era un disco cien por cien The Cure.

En «Lost», el primer tema, Smith se lamentaba de la pérdida del yo y de identidad que supone enamorarse, sonaba atormentado y al borde de una crisis nerviosa: no era de extrañar, ya que Robinson solía ponerse delante de él mientras grababa las letras gritándole: «¡Venga, hazme llorar!».

> “Nos dejó tocar... entonces se acercó y empezó a darle patadas a todo y se puso como un loco.”
>
> ROBERT SMITH

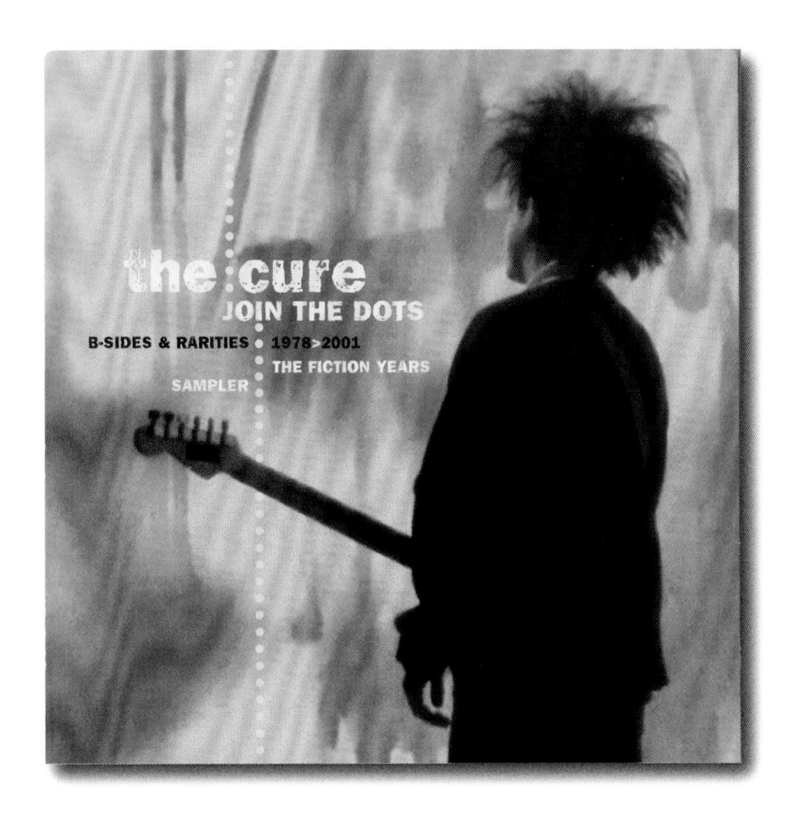

PÁGINA ANTERIOR - Smith reflexiona sobre Ross Robinson: «Casi lloraba de alegría».
SOBRE ESTAS LÍNEAS - Promoción de *Join the Dots*.

THE CURE

Fecha de lanzamiento 29 de junio de 2004

Grabado en Olympic Studios, Londres (Inglaterra)

Producción
Producción e ingeniería de sonido: Robert Smith y Ross Robinson

Músicos
Robert Smith: voz, guitarra
Roger O'Donnell: teclados
Perry Bamonte: guitarra
Simon Gallup: bajo
Jason Cooper: batería

Diseño de la carátula Stylorogue & smART

Sello discográfico Geffen B0002870-12

Máxima posición en listas alcanzada tras su lanzamiento
Reino Unido 8, Estados Unidos 7, Australia 28, Francia 4, Alemania 3, Países Bajos 37, Nueva Zelanda 32, Noruega 10, Suecia 10, Suiza 5, Austria 12

Notas
Todas las letras compuestas por Robert Smith; toda la música compuesta por The Cure. Los dibujos del álbum son de los sobrinos de Robert Smith, que entonces eran niños y no sabían que sus dibujos iban a aparecer en el álbum. Se suponía que representaban «un sueño bonito» y «una pesadilla» de cada uno de los pequeños.

LISTA DE CANCIONES

Lost
Labyrinth
Before Three
Truth, Goodness And Beauty (excluida de las ediciones para Norteamérica, Brasil y algunos países europeos
The End Of The World
Anniversary
Us Or Them
Fake (excluida de los CD excepto en Japón)
Alt. End
(I Don't Know What's Going) On
Taking Off
Never
The Promise
Going Nowhere (excluida de las ediciones para Norteamérica)
This Morning (excluida de todos los CD)

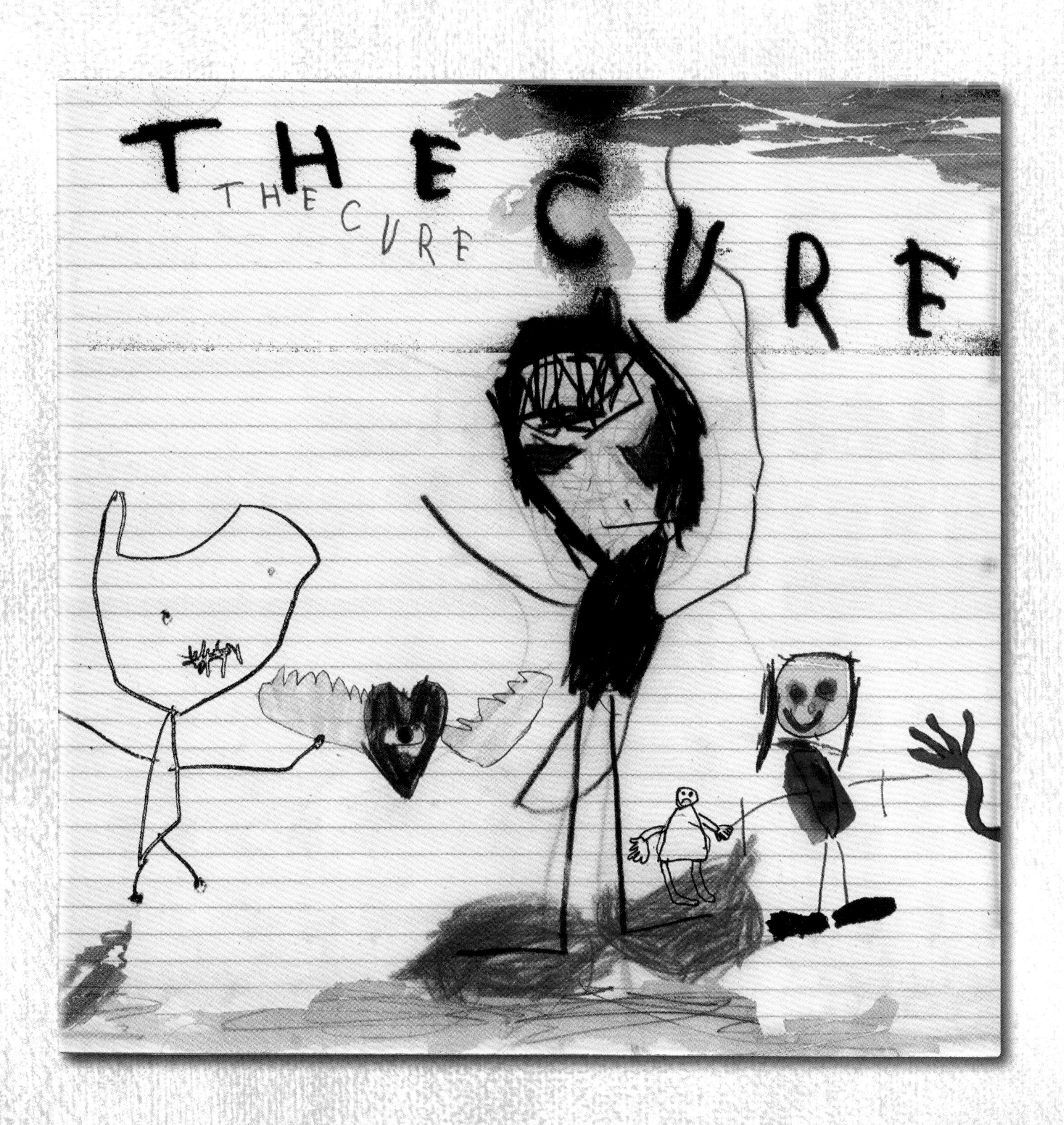
THE CURE
THE CURE

«Labyrinth» era un pulcro y típico revolcón en una angustia indeterminada, cuya desesperación resultaba casi tranquilizadora por su familiaridad. «Truth, Goodness And Beauty» era similar, su título acercándose peligrosamente a una parodia de la perenne propensión de The Cure a tratar «grandes temas».

«The End Of The World» era un tema que sobresalía, especialmente por su alegre guitarra y por la enérgica forma de cantar de Smith, algo inusual en él, que lo distinguía del material de The Cure, a veces genérico, que lo rodeaba. Las fuertes guitarras de «Us Or Them» hacían que el sonido de The Cure fuese más áspero y actitudinal de lo usual.

En un álbum de canciones intensas pero relativamente cortas «The Promise» constituía una gran declaración. Durante sus más de diez minutos de duración, Smith arengaba a una antigua amante infiel con una ira visceral, mostrando una admirable imaginación por parte de una persona que tenía una relación estable desde hacía más de cuarenta años.

The Cure era una bestia fuerte y potente, despiadada bajo su aspecto controlado e inmaculado. Su inconveniente, igual que los dos discos anteriores, era que renunciaba a cualquier tipo de lograda alquimia pop y de melodías aptas para la radio a favor de un inquietante distanciamiento. Seguro que a los fans de siempre de The Cure les encantaba, pero no iba a ganar muchos nuevos. Quienes, por cierto, parecían ahora ser exactamente como le gustaba a Robert Smith.

The Cure se lanzó en junio de 2004 y recibió críticas favorables, aunque los críticos remarcaron que era, básicamente, más de lo mismo. «Esto es The Cure sonando de forma muy parecida a The Cure», escribió la revista *Q*. «Cosa que nunca es mala, pero sí conocida».

La influyente página web *Pitchfork* opinó que el disco estaba muy lejos del clásico The Cure, pero que marcaba una mejora con respecto a sus últimas entregas: «Invocar a *Disintegration* es ridículo, pero *The Cure* resulta notablemente más emocionante de escuchar que sus más recientes predecesores caracterizados por una guitarra más *heavy*». En general las críticas fueron positivas, pero ninguna pareció compartir la convicción de Robert Smith de que se trataba de la mejor obra de la banda.

Como era la costumbre con los álbumes del grupo en esa época, *The Cure* se posicionó bien en las listas de éxitos —entre los diez primeros puestos tanto en el Reino Unido como en Estados Unidos— pero salió de ellas con bastante rápidez, pues no logró nuevos conversos. The Cure corría el peligro una vez más de convertirse en lo que habían sido muchos años atrás: una banda de culto.

Al menos eran una banda de culto que llenaba estadios y si con el álbum *The Cure* no habían logrado hacer algo completamente diferente, su método para promocionar el disco en directo demostraría ser mucho más innovador.

Tras participar en varios festivales europeos como cabeza de cartel, The Cure se trasladó a Estados Unidos en julio para encabezar Curiosa: un festival ambulante para el que Smith había escogido los grupos.

Consciente o inconscientemente en este festival ambulante participaban muchas bandas para las que The Cure había sido una gran influencia. Además de Mogwai, los últimos favoritos de Smith, actuaban los grupos neoyorquinos de *art-rock* Interpol y The Rapture, con otras bandas que se irían turnando a lo largo del festival como Muse, The Cooper Temple, Clause y con la colaboración de la antigua bajista de Hole Melissa Auf Der Maur.

Curiosa se puso en camino por los Estados Unidos desde West Palm Beach el 24 de julio hasta Sacramento el 29 de agosto. Suponía una apuesta en un momento inseguro para los festivales de *rock* en Estados Unidos: el venerable Lollapalooza se canceló ese verano porque no se vendieron suficientes entradas.

Curiosa también tuvo sus momentos difíciles, con un número de asistentes decepcionante en Atlanta y en Cincinatti, pero los leales y entregados seguidores de siempre de The Cure y los fans más jóvenes de los arribistas *hipsters* hicieron posible que recuperasen los gastos e incluso tuviesen algún beneficio.

Por su parte, a Smith la aventura le pareció una fiesta total. «Esta gira es lo más divertido que he hecho en años», explicó entusiasmado a un periodista de MTV que se unió a la gira. «Ha superado con creces mis expectativas. Nos apoyamos los unos a los otros. Todo el mundo se mezcla, antes y después, y todos nos quedamos hasta muy tarde».

Robert Smith, que estaba de gira con un álbum relativamente aclamado encabezando un festival que él había organizado, daba la sensación de estar inusitadamente satisfecho. Después de todos los anteriores sobresaltos, la vida en el campamento de The Cure finalmente parecía asentada, feliz y positivamente armoniosa.

Es increíble lo que pueden engañar las apariencias.

> “Esta gira es lo más divertido que he hecho en años. Ha superado con creces mis expectativas.”
>
> ROBERT SMITH

PÁGINA ANTERIOR - Robert Smith tocando en directo en el escenario del KROQ Inland Invasion Festival con una guitarra Gretsch, en 2003.
INFERIOR - Robert Smith tocando con The Cure en el MTV Icon de 2004 en el Old Billingsgate Market, en Londres, el 17 de septiembre de 2004.

DORMIR...
¿QUIZÁ SOÑAR?

PÁGINA ANTERIOR - En un sueño, julio de 2005.
SUPERIOR - En Live 8 Paris, julio de 2005.

A principios de 2005, la formación de The Cure era la misma desde hacía diez años. El eje Smith/Gallup/Bamonte/O´Donnell/Cooper había durado más que la formación «clásica» de los años de los éxitos pop. Parecía que al fin Smith se había acomodado con su equipo soñado.

Pues sigue soñando.

En abril, aparecieron en Chain of Flowers, una página *online* de fans de The Cure, rumores de que Perry Bamonte y Roger O´Donnell ya no estaban en el grupo, que volvía a ser un trío, y que Smith tomaba las riendas y se convertía en el mánager de la banda.

Siguieron varias extrañas semanas en las que Chain of Flowers se ciñó a su historia, basada en información facilitada por una persona del entorno del grupo; a su vez Robert Smith utilizó la página web de la banda para arremeter contra la página de los fans, y un sorprendido O´Donnell reconoció que no tenía ni idea de lo que estaba pasando.

Esta insoportable situación se resolvió después de siete semanas cuando se confirmó oficialmente que los dos músicos estaban fuera de la banda. Al parecer se les había notificado por correo electrónico.

Bamonte fue muy diplomático sobre su despido e hizo público un comunicado en el que daba las gracias a los seguidores de The Cure por su apoyo y deseaba lo mejor para la banda en el futuro. O´Donnell fue bastante menos diplomático.

«Desde el martes de esta semana ya no pertenezco a The Cure», escribió en su página web. «Ha sido triste enterarme de esta manera después de veinte años, pero no debería haber esperado ni menos ni más».

El teclista no dijo nada más sobre el tema, pero en 2009 contó en *Side-Line*, la revista musical electrónica en línea, que le había dado la sensación de que un perjudicial malestar se había instalado en la banda: «Era todo lo opuesto a un ambiente creativo y enriquecedor. Estaba impulsado por el ego y la estupidez».

Cuando la página web le preguntó qué le parecía que Nine Inch Nails hubiese abandonado su compañía discográfica para lanzar y distribuir ellos mismos su música, O´Donnell lanzó una pulla al cantante de su antiguo grupo: «The Cure podría hacer lo mismo [que NIN]», dijo, «pero a Robert Smith le falta confianza y le gusta que su sello discográfico lo trate como una estrella».

Los rumores de los medios de comunicación no fueron exactos: The Cure no iba a continuar como trío. Un mes después de la defenestración de O´Donnell y de Bamonte, Porl Thompson, el veterano e intermitente miembro del grupo, volvió a formar parte de The Cure. Esta formación tocó en numerosos festivales veraniegos.

A este frenesí le siguió un período de inactividad pública. En 2006, The Cure solo hizo una actuación en abril en uno de los tradicionales conciertos benéficos de la Teenage Cancer Trust, en el Royal Albert Hall de Londres. Sin embargo, entre bastidores, la nueva formación había empezado a trabajar en otro álbum.

> Ingenuamente pensé que mi prestigio como artista desecharía cualquier objeción.
>
> ROBERT SMITH

Junto con Smith lo coproduciría Keith Uddin, que había trabajado como ingeniero de sonido con The Cure y que además tenía mucha experiencia de estudio con una amplia selección de grupos británicos pop de las listas de éxitos como Blue, Atomic Kitten y Emma Burton, antigua componente del grupo Spice Girls. El álbum iba a tener un origen conceptual tortuoso.

En un principio, Smith había anunciado que el nuevo disco, que se iba a titular *4:13 Dream*, sería un álbum doble. Sin embargo, cuando habló con *Billboard* en julio de 2007, había cambiado un poco.

«Lo que probablemente pasará es que saldrá un álbum doble, mezclado por mí, en edición limitada», explicó. «Uno solo, cuyos temas supongo que escogerá principalmente la discográfica y lo mezclará otra persona, con objeto de conseguir un disco distinto».

The Cure se encontró con que su contrato discográfico era ahora con Geffen, a quien Ross Robinson había vendido su discográfica I Am, y Smith no parecía impresionado con su nueva discográfica.

«He aceptado vender la versión doble al precio de un álbum sencillo. Ingenuamente pensé que mi prestigio como artista desecharía cualquier objeción, pero el mundo cada vez es más comercial».

Estaba claro que sus negociaciones con Geffen no tuvieron éxito, pues Smith tuvo que reducir *4:13 Dream* a un solo disco. Explicó que iba a tener los temas más alegres de los treinta y tres que la banda había grabado para el disco y el material «más oscuro» se iba a guardar para un proyecto futuro indeterminado.

Las discusiones retrasaron el lanzamiento del álbum y The Cure se encontraron en la desafortunada situación de tener varios conciertos de la gira promocional 4Tour antes de que se lanzase el disco. En julio y agosto actuaron en Asia y Australia, pero no tocaron nada del disco que estaba a punto de salir.

El grupo pospuso parte de la gira de Norteamérica y regresó a casa para terminar el álbum. Aunque si dieron tres conciertos en el Palacio de los Deportes en Ciudad de México, en noviembre.

Cuando al fin salió *4:13 Dream*, su lanzamiento fue acompañado por varias artimañas promocionales. Antes de su publicación, se lanzaron cuatro *singles* del disco, en el Reino Unido el trece de cada mes (y las mismas fechas o fechas cercanas, en Estados Unidos y en el resto del mundo).

La canción «The Only One» se publicó el 13 de mayo de 2008; «Freakshow», el 13 de junio; «Sleep When I'm Dead», el 13 de julio, y «The Perfect Boy», el 13 de agosto. Los cuatro fueron fracasos comerciales excepto, curiosamente, en España donde los tres primeros llegaron a ser número uno y el cuarto, número dos.

SUPERIOR - Concierto para el Teenage Cancer Trust en el Royal Albert Hall, en Londres, abril de 2006.
PÁGINA ANTERIOR - Smith y Gallup en el Festival Internacional de Benicàssim (España), agosto de 2005.

THE CURE
4:13 DREAM

4:13 DREAM

Fecha de lanzamiento 27 de octubre de 2008

Grabado en Parkgate Studios, (Ingaterra)

Producción Producción e ingeniería de sonido:
Robert Smith y Keith Uddin

Músicos
Robert Smith: voz, guitarra, bajo de seis cuerdas, teclados
Porl Thompson: guitarra
Simon Gallup: bajo
Jason Cooper: batería, percusión, *loops*

Músicos adicionales
Smud: percusión
Catsfield Sub Rhythm Trio: palmas

Diseño de la carátula Parched Art

Sello discográfico Geffen B0010913-02

Máxima posición en listas alcanzada tras su lanzamiento
Reino Unido 33, Estados Unidos 16, Australia 30, Francia 8, Alemania 21, Países Bajos 38, Nueva Zelanda 32, Noruega 17, Suecia 36, Suiza 15, Austria 28

Notas
Todas las letras compuestas por Robert Smith; toda la música compuesta por The Cure. Se grabaron como mínimo veintiséis canciones más que no fueron incluidas en el álbum. En un principio, Smith quería que fuese un álbum doble, pero debido a varios problemas solo se publicaron trece canciones y en un álbum sencillo.

LISTA DE CANCIONES

Underneath The Stars
The Only One
The Reasons Why
Freakshow
Sirensong
The Real Snow White
The Hungry Ghost
Switch
The Perfect Boy
This. Here And Now. With You
Sleep When I'm Dead
The Scream
It's Over

"Varias de las canciones más lentas (mis favoritas) y algunos temas instrumentales se dejaron sin acabar y no se publicaron."

ROBERT SMITH

A esto le siguió, en septiembre, *Hypnagogic States*, un EP de remezclas de nuevas versiones de los cuatro *singles* realizadas por una serie de figuras del emo/*alt-rock* estadounidense como Jared Leto de Thirty Seconds to Mars, Gerard Way de My Chemical Romance, y Pete Wentz y Patrick Stump de Fall Out Boy. Hay que decir que ninguna le quitaría el sueño a Paul Oakenfold.

El precio original que estableció Geffen para *Hypnagogic States*, un lanzamiento benéfico para la Cruz Roja Internacional, fue de 7,99 libras, lo que hizo que Smith escribiese a la discográfica para decirles que «era una completa equivocación». La discográfica se disculpó, dijo que por error le habían puesto al EP el precio de un álbum y lo bajaron en iTunes.

Hubo mucho ruido y mucha furia en el marketing de *4:13 Dream*, pero ¿qué significaba todo eso?

Los *singles* que se publicaron primero apoyaban la afirmación de Smith de que el álbum incluiría temas «alegres» y parecía que marcaban un regreso en toda regla del The Cure pop de *The Head On The Door* y *Wish*, favorito de las listas de éxitos.

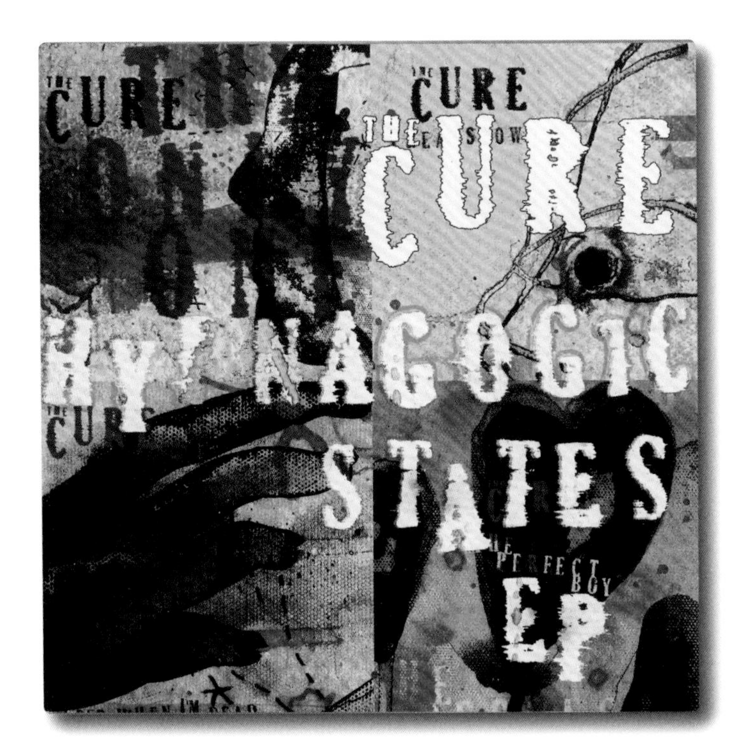

SUPERIOR - Portada del EP *Hypnagogic States*.
PÁGINA ANTERIOR - Smith escucha la noticia de la decepcionante posición en las listas de *4:13 Dream*.

«The Only One» era un tema brillantemente descarado, en el que Smith cantaba palabras de romántica devoción sobre una miasma de guitarras al estilo de «Friday I´m In Love». «Freakshow» era un tema desequilibrado y excéntrico pero decididamente pop y apto para la radio y las listas de éxitos.

«The Perfect Boy» también cumplía todos los requisitos del pop de The Cure, y Smith, con su forma entrecortada de cantar, parecía incapaz de contener su alegría, como si estuviese embargado por un deseo infinito. «The Reasons Why», que no se publicó como *single*, suena como si hubiese debido serlo, pese a la primera frase de la canción, una parodia de sí mismos: «No te quiero deprimir con mi suicidio».

A pesar de tener muchos de los ingredientes de un álbum clásico de The Cure para que fuese todo un éxito, *4:13 Dream*, cuando se publicó en octubre de 2008, en cierto modo parecía como si el todo fuese menos que la suma de sus partes. Smith lo había hecho bastante bien al reunir una serie de temas pop dinámicos y ligeros, pero sonaban demasiado pensados para acercarse a la alegría que desprendían «The Love Cats» o «Just Like Heaven».

Se trataba de un espectacular giro de noventa grados con respecto a los álbumes *Bloodflowers* y *The Cure*, pero el atractivo intermitente de *4:13 Dream* no logró convencer del todo. Costaba no preguntarse si Smith había puesto realmente su corazón en el disco.

Aunque reconocieron sus imperfecciones, los críticos en general fueron amables con *4:13 Dream*, probablemente aliviados por su tono melódico y positivo. *The Guardian* lo consideró «expresivo y vibrante» y *Hot Press* en Irlanda anunció el regreso a la diversión: «Si no está roto lo puedes manchar con pintalabios rojo y cardarlo, pero NO lo arregles».

La revista *Rolling Stone* dio al álbum un aprobado y escribió: «Smith en los viscerales *loops* de *riffs* y ecos devoradores de *4:13 Dream* ya no suena tanto como un príncipe enfermo de amor, sino más bien como Roger Waters en *Animals* de Pink Floyd: un vengador de mediana edad» (una comparación que probablemente no le hiciese gracia al punk de Crawley que Smith lleva dentro).

A finales de la década de los ochenta, años majestuosos y magistrales para The Cure, los periodistas regularmente escribían críticas desdeñosas de sus álbumes solo para que los devotos seguidores de la banda las ignorasen totalmente y comprasen millones de discos. Desgraciadamente, en el siglo XXI esa tendencia se había invertido.

A pesar de las críticas en su mayoría positivas, *4:13 Dream* no consiguió parar el declive comercial de The Cure. En el Reino Unido llegó al número treinta y tres, el puesto más bajo para la banda en las listas de éxitos desde *Three Imaginary Boys* en 1979.

Funcionó un poco mejor en Estados Unidos, donde llegó a estar en el Top 20, pero si Robert Smith y Geffen habían pretendido que *4:13 Dream* resultase una desafiante reinvención a gran escala de The Cure como guerreros del pop y de las listas de éxitos, había sido un claro fracaso. Esa época había pasado y al parecer ya no regresaría nunca más.

Como era su costumbre, Smith cargó gran parte de la culpa de estos pobres resultados a la discográfica y censuró a Geffen por no apoyar su plan inicial de grabar un ambicioso y variado álbum doble.

«Hacer un único CD álbum requería un enfoque distinto, por lo pronto, ya no se disponía del tiempo necesario para "extenderse" y conectar los diferentes "sentimientos" (como era mi intención en un principio)», explicaría después en la página web de la banda. «Y en consecuencia, varias de las canciones más lentas (mis favoritas) y algunos temas instrumentales se dejaron sin acabar y no se publicaron».

The Cure ya no saltaban a las cimas de las listas de éxito del mundo, pero seguían llenando estadios. En 2008, retomaron la gira 4Tour, incluidos los conciertos de Norteamérica cuyas fechas se habían cambiado; ahora podían tocar las canciones del nuevo disco.

Tocaron *4:13 Dream* entero para MTV el 11 de octubre en la Piazza San Giovanni en Roma ante 75 000 fans y un audiencia televisiva que según The Cure, que probablemente exageraron un poco, rondaba los diez millones.

A pesar de este último concierto, The Cure tenía que hacer un balance de la situación y preguntarse si, sin darse cuenta, habían entrado en una temida categoría: ¿eran ahora una banda mítica?

«Banda mítica» es un término involuntariamente peyorativo que la industria musical aplica a ciertos artistas, a aquellos cuyos nuevos lanzamientos atraen poco interés, pero que todavía llenan teatros e incluso estadios con fans que disfrutan de sus viejos éxitos. También pueden tocar en el circuito de festivales cada pocos años y ganar dinero.

A las bandas pospunk, que se basan en la frescura, la reinvención constante y el choque de lo nuevo, les horroriza especialmente que las cataloguen en esos términos y sin duda a Robert Smith, que había promocionado enormemente los dos últimos álbumes del grupo, le parecería terrible.

A The Cure les costaría muchísimo aceptar que les considerasen una banda mítica. Sin embargo, cuando se calmaron los ánimos tras el fracaso comercial de *4:13 Dream* realmente empezaron a comportarse como tal.

Su actividad en 2009 se redujo a cuatro actuaciones en directo. El 25 de febrero tocaron diez canciones en los NME Awards, que se celebraron en el Brixton Academy en Londres, tras recoger el premio «Godlike Genius» por toda su trayectoria. La noche siguiente encabezaron el cartel del O2 Arena londinense.

En abril Robert Smith se rompió la mano durante un concierto en Las Vegas previo a la actuación de The Cure como cabeza de cartel en Coachella dos días después. Eso no impidió que la banda tocase casi tres horas en el festival, pasándose tanto el toque de queda que los desesperados promotores tuvieron que desenchufarlos y encender las luces del escenario.

Porl Thompson dejó de nuevo la banda después de la actuación en Coachella. Parece ser que su estatus como cuñado de Smith permitía a este personaje realmente inconformista ir y venir a su antojo; pocos apostaron porque no apareciese de nuevo en la formación de la banda en el futuro.

Incluso 2009 parecía que bullía de actividad comparado con el siguiente año, en el que The Cure no dio ningún concierto. Smith se entretuvo, si es esa la palabra, con el lanzamiento de la versión remasterizada de *Disintegration* y supervisando la remasterización digital del catálogo musical de la banda.

Premios por toda su trayectoria, reediciones de catálogos... es la suerte de los grupos que devienen míticos, recurrir a la nostalgia y en 2011 The Cure llevó este proceso un poco más lejos cuando volvieron a tocar los hitos del principio de su carrera.

SUPERIOR - La guitarra acústica Schester RS-1000 de Smith que utilizó durante la gira mundial de 2008, firmada y subastada para una organización benéfica.
PÁGINA SIGUIENTE - ¿Dos genios inmensos? Con el cineasta Tim Burton en los NME Awards en Londres, en 2009.

SHOCK WAVES
NME
AWARDS
2009
OXBOW

13

No se le había pasado por alto a Lol Tolhurst que ese año sería el trigésimo aniversario de *Faith* y le escribió a Smith sugiriéndole que lo podrían celebrar. Smith tuvo una idea más extravagante: que el grupo tocase sus tres primeros álbumes al completo.

El lugar elegido para estos conciertos denominados Reflections sería la Ópera de Sídney, como parte de Vivid, el festival anual de la ciudad australiana. Robert O´Donnell, que al parecer ya no estaba resentido por haber sido despedido, volvió a unirse a The Cure para los conciertos.

En la Ópera, el 31 de mayo y el 1 de junio, Smith, Gallup y Cooper tocaron *Three Imaginary Boys* y después de les unió O´Donnell para tocar *Seventeen Seconds*. Tolhurst completó la formación para *Faith*.

Para Tolhurst la espera en el *backstage* para tocar con The Cure por primera vez en veintitrés años fue un momento importante.

«No podía parar de llorar», admitió en *Cured*. «Era todo demasiado para mí. Mientras las lágrimas saladas se deslizaban por mis mejillas, me di cuenta de que no podía contener el torrente de emociones que me embargaba».

Tolhurst se tranquilizó en cuanto pisó el escenario y tocó una campanilla con su baqueta para empezar *Faith*. («¡Dios mío! ¡Me sentía como Thor con el martillo!», reflexionaba en *Cured*). The Cure encabezó ese año el cartel del festival Bestival en la isla de Wight en el Reino Unido en septiembre (de esa actuación se grabó en directo un álbum), para terminar el año con los conciertos de Reflections en Londres, Los Ángeles y Nueva York.

Para entonces The Cure podían escoger los mejores compromisos en directo y eso es precisamente lo que hicieron. En 2012, durante la gira Summercure, encabezaron los mejores festivales europeos, como Pinkpop, Primavera Sound, Roskilde y, en Inglaterra, Reading y Leeds, además de tocar por primera vez en Rusia.

Para los festivales se les unió un nuevo miembro: Reeves Gabrels, guitarrista de Bowie, que había tocado en el desafortunado *single* «Wrong Number». Smith le había escrito un correo electrónico pidiéndole que fuese su «piloto de flanco» durante el verano. Gabrels sigue todavía en el grupo.

The Cure estaban entrando en un cíclico compás de espera agradable. Tocar en grandes festivales bien remunerados como cabeza de cartel bajo el sol del verano y tomarse el invierno libre. En esta envidiable posición, explotaron la oportunidad de visitar climas más exóticos.

PÁGINA ANTERIOR - «¡Está dentro! ¡Está fuera! ¡Está dentro otra vez!». Porl Thompson con The Cure en Coachella, abril de 2009.
INFERIOR - Prueba de sonido para el Vivid Festival, Ópera de Sídney, mayo de 2011.

En abril de 2013, Tim Pope les acompañó y filmó los conciertos de Sudamérica, incluido el regreso a Argentina por primera vez desde los disturbios en las actuaciones de 1987. La minigira tuvo su punto culminante en el concierto de cuatro horas y cincuenta canciones que tocaron en el estadio Foro Sol de Ciudad de México el 21 de abril, el día que Smith cumplía cincuenta y cuatro años.

Ese verano The Cure encabezó festivales en Corea del Sur, Japón, Montreal, hizo una primera visita a Hawái y clausuró el Lollapalooza en Chicago. Terminaron el año con más actuaciones en festivales de Estados Unidos y otra visita a México.

A lo largo de toda esta actividad en directo espectacularmente bien pagada, no hubo ni sombra de algún material nuevo grabado. No obstante, después de que The Cure tocase en dos actuaciones para el Teenage Cancer Trust en el Royal Albert Hall en marzo de 2014,

SUPERIOR - Beacon Theatre, Nueva York, noviembre de 2011.
IZQUIERDA - *Bestival Live 2011.*
PÁGINA SIGUIENTE - En Barcelona en el Primavera Sound.
PÁGINA SIGUIENTE, INFERIOR - Reeves Gabrels acompaña a Smith, en Texas, en 2013.

"No podía
parar
de llorar.
Era todo
demasiado
para mí."

LOL TOLHURST

> La culminación del proyecto no fue exactamente lo que tendría que haber sido, ya que dieciséis de las treinta y tres canciones originales se «quedaron arrinconadas».
>
> ROBERT SMITH

SUPERIOR - Robert Smith de The Cure toca en el Lollapalooza en Grant Park, en Chicago, Illinois, el 4 de agosto de 2013.
PÁGINA SIGUIENTE - The Cure: Reeves Gabrels, Robert Smith, Jason Cooper y Simon Gallup en el escenario del Royal Albert Hall, en Londres, el 28 de marzo de 2014.

Smith concedió una inusual entrevista a XFM, la emisora musical de radio londinense.

Dijo que seguía considerando publicar el material «más oscuro» que no se había incluido en *4:13 Dream* en un álbum separado; pero parecía que estaba reconsiderando todo el proyecto.

«Estoy intentando convencerme de que debo publicar lo que sería la segunda parte del álbum que salió en 2008», caviló. «Es un tema un poco delicado, la verdad».

Sin embargo, unos pocos días después, en una larga entrada en la que se iba por las ramas en el blog de la página web de The Cure, escrita principalmente en letras mayúsculas con el engañoso título «LO MÁS CLARO Y SUCINTO QUE PUEDA...», Smith parecía tener problemas con su propio comentario.

Pese a repetir que le parecía que *4:13 Dream* había sido «un excelente álbum de The Cure», Smith llegó a la conclusión de que «la culminación del proyecto no fue exactamente lo que tendría que haber sido, ya que dieciséis de las treinta y tres canciones originales compuestas se «quedaron arrinconadas».

Smith dijo que The Cure lanzaría *4:26 Dream*, un CD doble de edición limitada además de un nuevo álbum, *4:14 Dream*, con catorce canciones de sesiones que no se publicaron. Predijo con seguridad que estarían listos para salir en tres meses.

Cuatro años después no hay señales de ningún álbum y menos de la «música nueva, nueva» que prometía al final de su épica entrada en el blog.

En lugar de eso, para The Cure todo ha continuado igual. En mayo de 2014 encabezaron el cartel del festival BottleRock Napa Valley en California, después, en septiembre, el Riot Fest en Toronto, Chicago y Denver. El año se terminó con tres conciertos en Navidad en el Hammersmith Apollo en Londres, en los que el épico *set list* incluía todos los temas de *The Top*.

Tras semejante esfuerzo, The Cure estuvieron en barbecho en 2015. Sin embargo, en 2016 iniciaron una gira mundial de setenta y seis conciertos; empezaron la parte norteamericana con tres noches en el Hollywood Bowl y otras tres en el Madison Square Garden, además de un viaje de regreso a Hawái.

A continuación siguieron a Nueva Zelanda y Australia y una segunda aparición encabezando el Bestival en Reino Unido, antes de la gira por estadios europeos que terminó con tres conciertos en Wembley, en Londres, como en los viejos tiempos.

SUPERIOR - En BottleRock Napa Festival, California, mayo de 2014.
SOBRE ESTA LÍNEAS - Simon Gallup en Milán, noviembre de 2016.
PÁGINA SIGUIENTE - En BottleRock Napa Festival, California, mayo de 2014.

También en 2016, tras dos años de investigar y escribir, Tolhurst publicó sus memorias: *Cured: The Tale of Two Imaginary Boys.*

El libro era una lectura agradable y a veces conmovedora, pues Lol Tolhurst desnuda su alma sobre su viaje desde los inicios provincianos de The Cure, pasando por la montaña rusa que fue su increíble ascenso internacional, hasta los oscuros días de su triste declive a causa del alcoholismo que había heredado de su padre.

Cured, una lectura indispensable para todos los seguidores de The Cure, es en última instancia un libro optimista pues termina con Lol Tolhurst felizmente casado en California, veinte años sobrio y habiéndose reconciliado con Robert Smith y con los otros miembros del grupo que, para su vergüenza, lo atormentaron durante su enfermedad.

Realmente, es un cumplido para este nuevo Tolhurst feliz y sereno que a lo largo del libro siempre se muestre gentil con sus compañeros que han reconocido que, espoleados por la frustración que les provocaba su alcoholismo, le hicieron la vida imposible.

«He leído *Cured* y Tol es increíblemente amable con todos», corrobora Boris Williams. «Me sorprendió mucho, pero creo que es su manera de querer responsabilizarse de sus hechos. Es muy valiente por su parte ser tan sincero como ha sido en el libro, aunque no lo sea con respecto a perder nuestro respeto. Cuando Lol estuvo en el Reino Unido para promocionar su autobiografía, quedamos en Bath y fuimos a comer juntos. Era la primera vez que lo veía desde el juicio y fue muy agradable, estaba, en fin, feliz, positivo y muy animado con su libro y con su vida».

Mientras promocionaba *Cured* en el Reino Unido durante el Latitude Festival en julio de 2017, Tolhurst en una entrevista en el escenario con el periodista Pete Paphides, dio un notición. No solo se había reconciliado completamente con Robert Smith, su amigo de la infancia, sino que este le había regalado el dinero que había perdido en el infortunado proceso judicial de 1994.

Actualmente Tolhurst está escribiendo un segundo libro: merece la pena la espera.

Durante la última y épica gira mundial de 2016, hubo un importante acontecimiento. En el primer concierto, el 10 de mayo, en el Lakefront Arena en Nueva Orleans, presentaron dos canciones: «Step Into The Light» y «It Can Never Be The Same». Estos nuevos temas reaparecerían esporádicamente en la gira, siempre como bises.

Pero aparte de esto, no ha habido ninguna señal de material nuevo —ni nuevo nuevo— en años y no han publicado ningún álbum en una década. ¿Volverá a haber un nuevo álbum?

Seguramente eso sea discutible. Tras cuatro décadas creando algunos álbumes de la música más inquietante, sombría y abigarrada de la historia del pop, el legado de The Cure es imponente e incuestionable, tanto en términos abstractos como concretos.

Hay algunas figuras en el mundo de la música —Björk es un gran ejemplo— que son artistas fantásticos y sin embargo influencias te-

CITIZENS NOT SUBJECTS

Live in Rome, 2008

TORN DOWN: MIXED UP EXTRAS

Fecha de lanzamiento 21 de abril de 2018

Remasterizado por Robert Smith

Sello discográfico Fiction 6709992

LISTA DE CANCIONES

Three Imaginary Boys (Help Me Mix)
M (Attack Mix)
The Drowning Man (Bright Birds Mix)
A Strange Day (Drowning Waves Mix)
Just One Kiss (Remember Mix)
Shake Dog Shake (New Blood Mix)
A Night Like This (Hello Goodbye Mix)
Like Cockatoos (Lonely In The Rain Mix)
Plainsong (Edge Of The World Mix)
Never Enough (Time To Kill Mix)
From The Edge Of The Deep Green Sea
(Love In Vain Mix)
Want (Time Mix)
The Last Day of Summer (31st August Mix)
Cut Here (If Only Mix)
Lost (Found Mix)
It's Over (Whisper Mix)

rribles. Su arte es tan intuitivo, idiosincrásico y único que otras figuras menores imprudentemente intentan reproducirlo o canalizarlo.

No cabe duda que The Cure entra en esta categoría y sin embargo, y a pesar de ello, hay innumerables bandas *new wave* y *art-rock* que han crecido bajo su enorme sombra y que consciente o inconscientemente han tomado sus maquinaciones a veces sombrías, a veces veleidosas, como una plantilla musical y filosófica.

Pese a estar en un principio levemente relacionados con la escena *grunge* de Seattle, era obvio que los roqueros The Smashing Pumpkins, una banda que llenaba estadios, se inspiraban en The Cure, un hecho que se hace más evidente en su música posterior más abstrusa y pretenciosamente artística. Billy Corgan siempre ha hablado mucho de su amor por la banda.

No resulta difícil establecer la relación entre Robert Smith y el icono independiente Marilyn Manson, que presentó el evento *2004 MTV Icon* dedicado a The Cure. «Son una de las bandas, o quizá LA banda, que me hizo pasar de que me gustase la guitarra en el *rock* a que me gustase... bueno, como le llamen, el *rock* alternativo», dijo arrastrando las palabras the *God of Fuck*.

En ese mismo programa homenaje de MTV participaron admiradores estadounidenses como Blink 182, AFI y Deftones y preten-

> "Es muy valiente por su parte ser tan sincero como ha sido en el libro, aunque no lo sea con respecto a perder nuestro respeto."
>
> BORIS WILLIAMS

INFERIOR - Gabrels y Smith, en el Madison Square Garden, Nueva York, junio de 2016.

INFERIOR, IZQUIERDA - Influidos por The Cure: The Smashing Pumpkins...
SUPERIOR, IZQUIERDA - ... Marilyn Manson presenta *2004 MTV Icon* dedicado a The Cure.
SUPERIOR, DERECHA - . . . Nine Inch Nails.
INFERIOR, DERECHA - . . . Interpol.

dientes británicos como Razorlight; todos tocaron versiones de las canciones de The Cure (Smith había creado un insólito vínculo con la banda pop-punk Blink 182, e incluso participó en 2003 en «All of This», uno de sus temas).

La influencia de The Cure en Nine Inch Nails se puede apreciar más en su oscura trayectoria emocional que en su electrónica visceral. Trent Reznor, que reconoce la inmensa influencia del grupo en sus letras, incluso se ha descrito memorablemente como: «Robert Smith con un resfriado con congestión nasal».

Antes de su giro hacia la electrónica enrarecida, Radiohead eran grandes acólitos de The Cure: Thom Yorke hasta llevaba el pelo cardado. Los veteranos Placebo, un grupo que llena estadios, también son discípulos bastante obvios de la envolvente atmósfera de The Cure.

Alrededor del año 2000, surgió una nueva generación de *art-rockers* que, en un grado u otro, consideraban a The Cure su piedra angular. Además de Mogwai, se podían percibir claras influencias de la banda en la música de The Rapture y de Death Cab for Cutie, mientras que los canadienses Hot Hot Heat eran más bien una banda tributo. Interpol, los fatalistas *hipster* neoyorquinos, pasaron de ser una banda de culto a tener mucho éxito y Paul Banks, su cantante, no hizo ningún intento de ocultar su deuda: «The Cure es una banda que podemos decir que nos ha influido a todos en Interpol... es una de las bandas que más ha influido en Interpol, porque a todos nos encanta. Son legendarios».

Los electro-roqueros británicos Foals han seguido un camino parecido a The Cure pasando desde una ensimismada reflexión a melodías para las listas de éxitos. Gerard Way era un devoto de The Cure cuando estaba en el instituto, hecho que se refleja en el *mope-rock* de la banda de los gigantes del *emo-rock* My Chemical Romance, ya desaparecida. La banda Crystal Castles, que compone música electrónica y experimental, también le debe mucho a The Cure.

No resulta raro creer que los temas más alegres y pop de The Cure han tenido una profunda influencia en el *rock* fácil y pulcro que llena estadios de The Killers, sobre todo porque lo ha reconocido su cantante Brandon Flowers.

«La primera vez que escuché «Just Like Heaven» fue por mi hermano, porque le gustaba mucho la música alternativa», contó en *NME* en 2013. «Su habitación era un templo a las bandas, yo solía entrar a escondidas y mirar sus pósters de... The Cure, Robert Smith con su maquillaje y yo me quedaba con todo. Recuerdo que ponía «Just Like Heaven» a todo volumen y yo estaba al lado de la puerta absorto en esa bonita melodía».

El legado de The Cure y su lugar en la historia de la música está asegurado, pero entonces, ¿qué pasa con su futuro?

Es casi imposible adivinarlo. Robert Smith, que ahora es el mánager del grupo y lleva una vida casi de ermitaño excepto cuando ocasionalmente sale para llenar las arcas con giras por estadios y encabezando festivales, ha convertido a The Cure en una especie de industria artesanal. Siguen siendo una banda de culto, a pesar de haber vendido casi treinta millones de discos.

SUPERIOR - Madison Square Garden, 18 de junio de 2016.

Cerca de los sesenta, casado y feliz, Smith puede que simplemente esté disfrutando de una vida relativamente indolente. Al fin y al cabo, como un haragán y malhumorado adolescente de Crawley en los setenta, esta fue una de las principales razones por las que en un principio formó una banda.

No obstante, nunca se sabe con The Cure. La mayoría de las bandas míticas son, por su naturaleza, por su edad, aburridas, serias y, sobre todo, predecibles. Sabes qué van a hacer en todo momento y cómo lo van a hacer. No se puede decir lo mismo de The Cure.

Desde su nacimiento, The Cure siempre ha tratado de la esencia del individuo, del capricho quijotesco y exótico, del empecinamiento por llevar la contraria. Siempre han querido sorprendernos, lo que paradójicamente significa que nada de lo que hacen ahora puede sorprendernos.

Resulta fácil ver a The Cure siguiendo con su rutina actual sin complicaciones encabezando festivales. Pero a la vez, resulta igual de fácil imaginar que salen de su sopor para seducirnos con otro maravilloso y alegre éxito pop, un milagro impredecible o incluso con un espléndido álbum introspectivo, en busca de la verdad, monocorde.

Lo cierto es que nadie sabe qué ocurrirá con The Cure en el futuro excepto Robert Smith... y lo más probable es que ni siquiera él lo tenga muy claro.

Entonces, ¿cuál es la moraleja de esta historia?

Hay que esperar. Puede que este sueño perfecto todavía no haya terminado.

AGRADECIMIENTOS, FUENTES Y CRÉDITOS DE LAS FOTOGRAFÍAS

AGRADECIMIENTOS

Me gustaría agradecer a Boris Williams la extensa entente desde Francia y a Robert Smith la muy agradable velada que pasamos hace años en la mansión de Jane Seymour en Bath. Quisiera dar las gracias a la leyenda *indie* Pete Stennett de Small Wonder Records y a Neil Meads por ponernos en contacto. Gracias también a los editores que me encargaron, a lo largo de los años, que escribiese sobre The Cure: Allan Jones, Everett True, Paul Lester, Craig McLean y Shaun Phillips; y a Chris Roberts por su valioso material de investigación. Gracias a Rod Green por pedirme que escribiese este libro, a Rob Nichols por su apoyo y su comprensión como editor y a Woolly Bully por organizar todos los papeles.

Este libro es para una fan de The Cure del pasado y para uno futuro: Helen y Spike.

FUENTES

Revistas y periódicos: *NME, Melody Maker, Sounds, Record Mirror, Q, Mojo, Uncut, Select, Blah Blah Blah, The Guardian, Rolling Stone, Spin, New York Times, Billboard, CMJ, Trouser Press, Hot Press, ikon.*
Televisión, radio y páginas web: *MTV, Top of the Pops, The Oxford Road Show*, BBC Radio 1, *XFM*, thecure.com, *Pitchfork* (pitchfork.com), *Chain of Flowers* (craigjparker.blogspot.co.uk), *The Cure Concerts Guide* (cure-concerts.de).
Libros
Apter, Jeff, *Never Enough: The Story of The Cure*. Omnibus Press, 2005.
Carman, Richard, *The Cure & Wishful Thinking*. Independent Music Press, 2005.
Reynolds, Simon, *Rip It Up and Start Again: Pospunk 1978-1984*. Faber & Faber, 2006.
Sutherland, Steve, Smith, Robert, y Barbarian, *The Cure: Ten Imaginary Years*. Zomba Books, 1992.
Tolhurst, Lol, *Cured: The Tale of Two Imaginary Boys*. Quercus, 2016.
Entrevistas del autor con Robert Smith, Boris Williams y Pete Stennett.

CRÉDITOS DE LAS FOTOGRAFÍAS

Fotografía de la portada Getty Images/L. Busacca/WireImage
Cortesía de Alamy S.I.N./Alamy Stock Photo, 6; Philippe Gra/Alamy Stock Photo, 15; Pictorial Press Ltd/Alamy Stock Photo, 17 inf. dcha; Pictorial Press Ltd/Alamy, 20; MARKA/Alamy Stock Photo, 21; Pictorial Press Ltd/Alamy Stock Photo, 22; Everett Collection, Inc./Alamy Stock Photo, 32 inf.; Pictorial Press Ltd/Alamy Stock Photo, 85; Pictorial Press Ltd/Alamy Stock Photo, 108; Mairo Cinquetti/Alamy Stock Photo, 234 inf.
Cortesía de Avalon Paul Slattery/Photoshot/Retna, 12; Paul Slattery /Photoshot/Retna, 14; Michael Putland/Photoshot/Retna,16; Richard Mann/Retna/Photoshot, 18; Paul Slattery/Photoshot/Retna, 19; Kees Tabak/Sunshine/RetnaRU, 24; STARSTOCK/Photoshot,25 sup.; Richard Mann/Retna/ Photoshot, 28; Paul Slattery/Photoshot/Retna, 30; LFI/Photoshot, 35; Kees Tabak/Sunshine, 40; Paul Slattery/Photoshot/Retna, 47; Photoshot/Retna, 65; Peter Mazel/Sunshine/Retna/Photoshot, 86;Idols/Photoshot, 88; Lawrence Lowry/LFI/Photoshot, 93; Hamon/Idols/Photoshot, 94; Eugene Adebari/LFI/Photoshot, 95; Eugene Adebari/LFI/Photoshot, 96; Dalle/Idols/Photoshot, 101; MediaPunch Inc/Alamy Stock Photo, 1lO; Paul Cox/LFI/ Photoshot, 117; Fryderyk Gabowicz/Picture Alliance/Photoshoot, 118; Dalle/Idols/Photoshot, 122; Jayne Houghton/Retna/Photoshot, 128; Dalle/Idols/Photoshot, 130; Fryderyk Gabowicz/Picture Alliance/Photoshot, 136; Michael Putland/Retna Ltd., 141; Ross Marino/LFI/ Photoshot, 145 dcha.; Paul Cox/Idols/Photoshot, 146; Ronnie Randall/Retna RU, 149; Jayne Houghton/Retna Pictures/Photoshot, 154; Ronnie Randall/Retna/Photoshot, 169; Dalle/Idols/Photoshot, 185; Dalle/Idols/Photoshot, 189; Paul Cox/LFI/Photoshot,198
Cortesía de BBC BBC, 60
Cortesía de Camera Press Gentlelook/Sunshine, 70; Gentlelook/Sunshine, 79; Gentlelook/Sunshine, 83; Sunshine/Sunshine, 90
Cortesía de Getty Images Samir Hussein/Getty Images, 1; Michael Putland/Getty Images, 4; Fin Costello/Redferns, 8; Jorgen Angel/Redferns, 17 sup. izq.; Gijsbert Hanekroot/Redferns, 17 sup. der.; GAB Archive/ Redferns, 23; Chalkie Davies/Getty Images, 25 inf.; ChrisWalter/Wireimage, 32 sup.; Lex van Rossen/MAI/Redferns, 33; Gabor Scott/Redferns, 34; Kevin Cummins/Getty Images, 36; Erica Echenberg/Redferns, 37; David Corio/Redferns, 46; Ebet Roberts/Redferns, 55; Ebet Roberts/Redferns, 57; Allan Tannenbaum/Getty Images, 58; Ebet Roberts/Redferns, 59; Rob Verhorst/Redferns, 61;Ebet Roberts/Redferns, 62; Ebet Roberts/Redferns, 64; David Corio/Redferns, 69; Fin Costello/Redferns, 99; Lynn Goldsmith/Corbis/VCG via Getty Images, 102; Rob Verhorst/Redferns, 124; Andy Freeberg/Getty Images, 125 derecha; Nick Elgar/Corbis/VCG via Getty Images, 131; Dave Hogan/Hulton Archive/Getty Images, 143; POPEYE/ullstein bild via Getty Images, 144; Ebet Roberts/Redferns, 147; L. Busacca/Wireimage, 150; Peter Still/Redferns, 156; L. Busacca/Wireimage, 159; Mick Hutson/Redferns, 160; Frans Schellekens/Redferns, 162; Martyn Goodacre/Getty Images, 171; Ebet Roberts/Redferns, 174; Peter Still/Redferns, 175 inf.; Paul Harris/Getty Images, 176; Ebet Roberts/Redferns, 177; John Stoddart/Getty Images, 181; Martyn Goodacre/Getty Images, 183; Jim Steinfeldt/MichaelOchs Archives/Getty Images, 184; Scott Harrison/Archive Photos/Getty Images, 188; SGranitz/Wireimage, 190; KMazur/Wireimage,193; KMazur/Wireimage, 196; Brill/ullstein bild via Getty Images, 197; Nigel Crane/Redferns, 199; Paul Bergen/Redferns, 203; BrianRasic/Getty Images, 208; Liam Nicholls/Newsmakers/Getty Images, 206; Tim Roney/Getty Images, 209; Dave Hogan/Getty Images, 210; Christina Radish/Redferns, 214; Jo Hale/Getty Images for MTV, 215; Robert Knight Archive/Redferns, 216; Pascal Le Segretain/Getty Images, 218; Jose Jordan/AFP/Getty Images, 220; Jo Hale/Getty Images, 221; Miguel Riopa/AFP/Getty Images, 224 inf.; Simone Cecchetti/Corbis via Getty Images, 225; Stuart C. Wilson/Getty Images, 226; Dave M. Benett/Getty Images, 227; Tim Mosenfelder/Getty Images, 228; Don Arnold/Wireimage, 229; Neilson Barnard/Getty Images, 230 sup.; Simone Cecchetti/Corbis via Getty Images, 231 sup.; Erika Goldring/FilmMagic, 231 inf.; Theo Wargo/Getty Images, 232; Gaelle Beri/Redferns via Getty Images, 233; Tim Mosenfelder/Getty Images, 234 sup.; Steve Jennings/Wireimage, 235; Taylor Hill/Wireimage, 237; Martyn Goodacre/Getty Images, 238; Jo Hale/Getty Images for MTV, 238 sup. izq.; Robert Gauthier/Los Angeles Times via Getty Images, 238 sup. dcha.; Wendy Redfern/Redferns, 238 inf.; Neilson Barnard/Getty Images, 239
Cortesía de Iconic Pix PG Brunelli/IconicPix, 76; Chester Simpson/Dalle/IconicPix, 112; George Chin/IconicPix, 166
Cortesía de Rex Bleddyn Butcher/REX/Shutterstock, 2; Andy Paradise/REX/Shutterstock, 9; Ray Stevenson/REX/Shutterstock, 45; Gabor Scott/REX/Shutterstock, 48; Ray Stevenson/REX/Shutterstock, 50; Gabor Scott/REX/ Shutterstock, 72; Ray Stevenson/REX/Shutterstock, 75; Gabor Scott/REX/Shutterstock, 98; ITV/REX/Shutterstock, 107; REX/Shutterstock, 119; Richard Young/REX/Shutterstock, 134; Stills Press Agency/REX/Shutterstock, 138; Richard Young/REX/Shutterstock, 140; Patricia Steur/Sunshine/REX/Shutterstock, 168; Andre Csillag/REX/Shutterstock, 170 Bot; Herbie Knott/REX/Shutterstock, 182
Álbumes, *singles*, EP y vídeos © Universal Music Group; Strange Fruit, 38; Fiction Records Ltd, 42; Fiction Records Ltd., 43; Fiction Records Ltd., 44; Fiction Records Ltd., 52; Bill Smith & The Cure, 53; Bill Smith & The Cure, 56; Parched Art, 66; Parched Art, 67; Parched Art, 74; Fiction Records Ltd., 80; Fiction Records Ltd., 81; Parched Art, 92; Da Gama, 97; Parched Art, 99; Parched Art, lOO; Parched Art, 102; Parched Art, 104; Parched Art, 105; Parched Art, 1l4; Parched Art, 120; Parched Art, 121; Parched Art, 123; Parched Art, 125; Parched Art, 126; Parched Art, 127; Parched Art, 132; Parched Art, 133; Parched Art, 135; Zomba Books, 145 izquierda; Parched Art, 152; Maya, 153; Parched Art, 155; Parched Art, 158; Parched Art, 164; Parched Art, 167; Parched Art, 170 sup.; Parched Art, 172; Parched Art, 173; Parched Art, 175 sup.; Parched Art, 178; Parched Art, 180; Andy Vella & The Cure, 186; Andy Vella & The Cure, 187; Andy Vella, 194; smART/Stylorogue, 200; Fiction Records Ltd., 201; Stylorogue, 204; Fiction Records Ltd., 2ll; smART/Stylorogue, 212; smART/Stylorogue, 213; Parched Art, 222; Parched Art, 223; Parched Art, 224 sup.; Andy Vella/Lost Music Ltd., 230 inf.; Parched Art, 236